Dirgelwch Gwersyll Caerdydd

Gareth Lloyd James

Gomer

I Mabli Fflur,
fy nith fach

Cyhoeddwyd yn 2009
gan Wasg Gomer, Llandysul, Ceredigion SA44 4JL
www.gomer.co.uk

ISBN 978 1 84851 138 5

Dymuna'r cyhoeddwyr gydnabod cymorth
adrannau Cyngor Llyfrau Cymru.

Argraffwyd a rhwymwyd yng Nghymru gan
Wasg Gomer, Llandysul, Ceredigion.

Cynnwys

1

Yng nghefn y bws

Siglai pen Glyn yn araf o ochr i ochr wrth i'r bws wyro i'r dde ac i'r chwith ar hyd heolydd troellog Canolbarth Cymru. Ond nid dim ond y bws oedd yn achosi i'w ben siglo – o na! Roedd Glyn wedi hen ddanto ar glywed y merched yn chwerthin a sgrechian yng nghefn y bws, gan wawdio'r bechgyn am eu bod hwythau i lawr yn y pen blaen gyda'r oedolion. Ond roedd seddau Glyn a Jac yn agosach i'r canol. Ac wrth reswm, roedd Deian a Rhodri yn eistedd yn union o'u blaenau. Ond erbyn hyn, roedden nhw'n difaru dewis y seddau hynny am eu bod nhw'n medru clywed holl sylwadau pryfoclyd criw y seddau cefn. Pwysodd Glyn ei ben ymlaen i'r bwlch rhwng y ddwy sedd y tu blaen iddo gan orffwys ei fochau yn erbyn y defnydd meddal.

'Chredwch chi ddim faint dwi'n difaru colli'r gêm bowlio deg 'na llynedd bois,' meddai'n dawel.

'Ti'n gweud wrtha i!' atebodd Deian gan godi'i aeliau. 'Mae'r flwyddyn dd'wetha 'ma wedi bod yn hunlle!'

'Edrychwch arni fel hyn bois,' ymyrrodd Rhodri, 'falle mai yn y cefn y byddwn ni ar y ffordd nôl. Rhaid i ni fod yn bositif.'

Bob blwyddyn byddai'r penderfyniad i adael naill ai i'r bechgyn neu i'r merched eistedd yng nghefn y bws yn cael ei benderfynu gyda chystadleuaeth bowlio deg. Er mawr siom i'r bechgyn, y merched enillodd yng Ngwersyll Glan-llyn y llynedd, ond roedd y daith i'r brifddinas wedi codi hwyliau'r criw. Doedd yr ysgol heb fod i Wersyll yr Urdd yng Nghaerdydd o'r blaen, ac wrth glywed fod ymweliad â'r Ganolfan Bowlio Deg enfawr ar draws y ffordd o'r Gwersyll ar y rhestr weithgareddau, cododd eu calonnau.

Wrth i'r bws barhau ar y daith droellog, dechreuodd bol Glyn wegian gan eisiau bwyd. Rholiai ei lygaid yn ddramatig wrth glywed llais Mr Llwyd yn bloeddio drwy'r system sain uwch ei ben.

'Helô. Helô. Ydych chi'n 'y nghlywed i? Helô. Un dau, un dau . . .' cychwynnodd gan ddal yn y meicroffon ac edrych arno fel petai erioed wedi gweld un o'r blaen. 'Www! Iawn. Mae e'n gweithio. Ym, wel blantos, ry'n ni erbyn hyn wedi mynd heibio hanner ffordd, ac fel yr addewais i, mi gewch chi agor eich bocsys bwyd nawr.'

Doedd dim angen dweud eilwaith. Dechreuodd bawb ymbalfalu am eu bagiau cyn i Mr Llwyd gael cyfle i ddweud gair pellach. 'OND ARHOSWCH UN EILIAD os gwelwch yn dda!' bloeddiodd i mewn i'r meicroffon gan ddychryn hyd yn oed y gyrrwr gan wneud iddo swerfio i ganol yr heol. 'Dwi ddim am weld unrhyw friwsion na bagiau creision nac unrhyw beth arall ar lawr y bws. Deall? A dwi ddim am glywed unrhyw sŵn chwaith. Am y pum munud nesaf dwi am i chi eistedd yn llonydd ac yn dawel i fwyta'ch tocyn.'

Rhoddodd Mr Llwyd y meicroffon yn ôl yn ei grud cyn troi i agor ei fag yntau. Llyfai ei wefusau wrth feddwl am y brechdanau caws a oedd yn ei ddisgwyl y tu mewn i'w focs bwyd bach plastig. Gwyddai fod ei fam bob amser yn gwneud brechdanau blasus iawn, chwarae teg iddi.

'Arhoswch funud bois!' rhybuddiodd Deian ei ffrindiau, 'peidiwch â bwyta dim byd eto, neu falle dagwch chi!'

'Beth?' holodd Glyn yn wyllt, yn ysu am gael stwffio cacen siocled i'w geg.

'Gei di weld,' atebodd Deian gan daflu cip i gyfeiriad y merched yn y cefn. 'Unrhyw eiliad nawr . . .'

'Aaaaa! Aaaaa! Aaaaa! Aaaaa!' Daeth sgrechfeydd ofnadwy o'r sedd gefn wrth i ryw hanner dwsin o ferched neidio ar eu traed a dringo ar ben eu seddau. Swerfiodd y bws am yr eildro o fewn dwy funud gan achosi i Mr Llwyd dagu ar ei frechdan gyntaf. 'Beth ar wyneb y ddaear . . ?' dechreuodd wrth ryddhau ei hun o'i wregys a'i throi hi am y cefn. Ond dal ati i sgrechian nerth eu pennau roedd y merched. Roedd rhai'n crio ac eraill yn cydio'n dynn yn ei gilydd. Yn ei frys, doedd Mr Llwyd ddim wedi sylwi ar bedair gwên ddireidus bechgyn canol y bws. Doedd e ddim chwaith wedi sylwi ar y llygoden fach lwyd a oedd yn rhedeg nerth ei thraed i lawr yr eil gan anelu'n syth at ei goesau. Ond yr eiliad nesaf roedd hi'n dringo'i goes chwith i fyny ei drowsus ac yna i fyny ei siwmper i'w ysgwydd. Edrychodd arni mewn anghrediniaeth.

'Aaaaa! Aaaaa! Aaaaa!' sgrechiodd gan dasgu nôl i lawr yr eil. Ar hynny, baglodd dros goes Carwyn wrth i hwnnw geisio cael golwg well ar yr hyn oedd yn digwydd, cyn glanio ar ei ben ôl yng nghanol bocs bwyd Llion a brechdanau'n glynu wrth ei drowsus.

Rhewodd y llygoden wrth glywed pawb yn chwerthin yn uchel o'i chwmpas, a phlygodd Deian mewn amrantiad i gydio ynddi a'i dal yn uchel wrth ei chynffon i bawb gael ei gweld.

'Popeth yn iawn, popeth yn iawn!' gwaeddodd gan geisio distewi sgrechfeydd y merched. 'Dim ond llygoden fach yw hi. Wnaiff hi ddim niwed i neb!'

O un i un dechreuodd pawb ddod lawr oddi ar y seddau heb fentro tynnu'u llygaid oddi ar yr anifail bach blewog. Aeth Deian allan i'r eil gan gamu dros Mr Llwyd wrth wneud ei ffordd i'r blaen. Roedd y bws bellach wedi aros mewn encilfa ar ochr y ffordd. Agorwyd y drws er mwyn iddo fedru gollwng y llygoden fach i'r clawdd trwchus gerllaw. Fodd bynnag, dim ond esgus ei gollwng hi a wnaeth Deian. Heb i neb arall sylwi, llwyddodd i'w chuddio ym mhoced fewnol ei got a chau'r sip gan adael ychydig o agoriad i'r creadur fedru anadlu. 'Fe ddoi di'n handi rywbryd eto mae'n siŵr,' sibrydodd cyn troi ar ei sawdl a dychwelyd i'r bws. Roedd pawb bellach wedi dychwelyd i'w seddau ac ailgydio yn eu brechdanau.

'Ew, ti Deian yn foi 'fyd! Am dric da!' canmolodd Jac. 'Gwed wrthai, shwt ddest ti i ben â rhoi'r llygoden yn y cefn heb iddyn nhw sylwi?'

'Rhwydd!' atebodd Deian gan droi i wynebu'i ddau ffrind trwy fwlch cul y seddau. 'Mi ffeindies i'r llygoden bore 'ma pan o'n i'n helpu Dad-cu i fwydo'r gwartheg. O'dd hi mewn yn un o'r bagie bwyd yn helpu'i hun i'r cêc. A dyna pryd y ces i'r syniad i . . .' Taflodd Deian gip i gyfeiriad y merched cyn parhau â'i stori'n dawel, 'i roi'r llygoden ym mag un o'r merched.'

Pwysodd Glyn nôl yn ei sedd gan edrych ar ei ffrind yn llawn edmygedd. 'Deian,' meddai, 'dwi wedi meddwl am sawl tric i'w chwarae ar bobl yn fy amser, ond bois bach, dwi'n genfigennus o honna! Syniad gwych 'achan!'

'Ond, shwt ddest ti i ben â'i rhoi hi i mewn yn y bag?' holodd Jac yn eiddgar.

'Wel . . . chi'n gw'bod fel ry'n ni wastad yn cyrraedd yr ysgol ar fore fel heddi ac yn mynd â'n bagie ni i gyd i'r neuadd?' dechreuodd Deian.

'Ie,' atebodd y tri gwrandäwr.

'Ac wedyn, cyn i ni fynd ar y bws, ma' Mr Ifan yn cael sgwrs gyda ni ynglŷn â sut i ymddwyn yn dda a pheidio â mynd i drwbwl ac ati?'

'Ie,' adleisiodd y tri eto.

'Wel, dyna pryd es i ati i roi Mrs Llwyd fan hyn yn . . .'

'Mrs Llwyd?' holodd Rhodri'n ddryslyd.

'Ym . . . ie, Mrs Llwyd – y llygoden. Achos ei lliw hi, a wel, achos dwi'n credu ei bod hi'n greadur bach ofnus . . . fel Mr Llwyd.'

Amneidiodd Rhodri ei ddealltwriaeth.

'Fel ro'n i'n gweud, dyna pryd es i ati i roi Mrs Llwy . . . ahem, y llygoden, ym mag Megan . . . neu, yn ei bocs bwyd hi, a dweud y gwir.'

'A dyna beth sy'n gwneud dy dric di yn well ti'n gweld,' ychwanegodd Glyn gan bwyso ymlaen unwaith yn rhagor. 'Achos roedd Megan yn saff o agor y bocs bwyd 'na yn y bws, a'r merched i gyd o'i hamgylch hi. A beth oedd yno i rythu arni pan agorodd hi'r bocs? Llygoden fach lwyd! Perffeth!'

Rhodri oedd yr un cyntaf i dynnu sylw'r bechgyn at ddifrifwch y sefyllfa. 'Yr unig broblem wrth gwrs yw y bydd hi'n sylweddoli nad ar ddamwen y cyrhaeddodd y llygoden ei bocs bwyd hi. Dwi'n amau y bydd Megan a'i ffrindiau wedi dyfalu mai un ohonon ni roddodd y llygoden yno, a phan fyddan nhw'n gwneud hynny – lwc owt!' Trawsnewidiodd wynebau direidus Glyn, Jac a Deian i fod yn wynebau hir, gofidus. Roedden nhw wedi blasu rhai o driciau Megan o'r blaen. Yn wir, dyna'r rheswm pam yr oedden nhw'n eistedd lle'r oedden nhw ar y bws ac nid yn y cefn. Eisteddodd y pedwar mewn tawelwch wrth iddyn nhw orffen bwyta, pob un ohonyn nhw'n meddwl pa mor hir y cymerai hi Megan ddatrys dirgelwch y llygoden yn ei bocs bwyd.

2

Gair o groeso

'Ni 'ma!' gwaeddodd Andrew yn gyffrous o sedd flaen y bws wrth iddo sylwi ar y brifddinas yn tyfu'n gawr o'i flaen.

'Eistedda lawr wir!' gwaeddodd Jac yn ddiamynedd. 'Ma' Caerdydd yn lle enfawr ti'n gw'bod. Ma sawl milltir arall cyn i ni gyrraedd y Bae.'

Teithiodd y bws yn ei flaen wrth i fwy a mwy o draffig lenwi'r heolydd a chyda hynny, mwy o oleuadau traffig i reoli'r gwybed o gerbydau a oedd ar ras i gyrraedd canol y brifddinas. Wrth nesáu at y Bae, roedd trwyn pawb oedd heb fod yng Nghaerdydd o'r blaen yn erbyn ffenestri'r bws a phob un yn syllu'n gegrwth ar yr adeiladau crand a'r siopau anferth. Roedd hyd yn oed Mr Llwyd wedi ecseitio erbyn hyn. Y tro diwethaf iddo ymweld â'r brifddinas oedd i weld Cymru yn chwarae ym Mharc yr Arfau. Doedd Stadiwm y Mileniwm ddim hyd yn oed yn bodoli bryd hynny!

O'r diwedd, croesodd y bws y gyffordd rhwng Canolfan y Mileniwm ac adeilad y Senedd gan fynd drwy'r giât ddiogelwch i gyrraedd mynedfa'r Gwersyll.

'Nawr 'te blant, does dim angen i mi eich hatgoffa chi o'r hyn ddywedodd Mr Ifan, y Pennaeth, y bore 'ma, ond mi wna i bwysleisio ambell beth er mwyn ei gwneud hi'n berffaith glir am yr hyn rwy'n ei ddisgwyl gan bob un ohonoch chi yn ystod y tridiau nesaf.'

Daeth ambell ochenaid o ganol y bws wrth i Mr Llwyd dechrau ar araith arall ar y meicroffon.

'Yn gyntaf, cofiwch mai yng Nghaerdydd, prifddinas Cymru, yr ydych chi. Ac os edrychwch chi o'ch cwmpas mi welwch chi filoedd ar filoedd o bobl. Pobl DDIEITHR. Felly, byddwch yn ofalus!'

Gallai Glyn glywed y ddwy ferch y tu ôl iddo'n sibrwd eu cytundeb.

'Yn ail, gan mai yng Nghaerdydd yr ydyn ni, mae'n bwysig ein bod ni'n dangos PARCH at bawb a phopeth. Nid aros mewn gwersyll, gyda dim ond defaid yn gymdogion i ni yr 'yn ni nawr cofiwch! Bydd angen i'ch hymddygiad chi fod ar ei orau!'

Wrth ddweud hyn, roedd Mr Llwyd yn edrych yn syth i lygaid Glyn. Trodd hwnnw ei ben yn araf i edrych allan drwy'r ffenest ar adeilad hardd y Senedd yr ochr arall i'r ffordd. 'Dyw rhai pethau byth yn newid,' meddyliodd. Byddai Mr Llwyd bob amser yn rhoi bai arno pan fyddai pethau anffodus yn digwydd. Roedd Glyn wrth gwrs yn cytuno ei fod yn gallu bod yn llond llaw weithiau, a'i fod ef a Jac, ei ffrind pennaf, yn cael eu hunain i mewn i drwbwl yn aml. Ond Deian oedd wrth wraidd hynny bron bob tro.

Drwy lwc, roedd doethineb Rhodri wedi eu cael allan o sefyllfaoedd lletchwith iawn yn y gorffennol. Heb roi'r bai i gyd ar Deian, roedd y merched hefyd yn gallu bod yn boen, a hynny am eu bod yn gwybod yn union sut i gynhyrfu'r bechgyn!

Gorffennodd Mr Llwyd draddodi ei araith fer a chychwynnodd pawb i gyfeiriad cwt y bws er mwyn casglu'r bagiau. Yna, dilynodd pawb Mr Llwyd i mewn i gyntedd y Gwersyll a oedd yn rhan o adeilad Canolfan y Mileniwm, ac i'r lolfa ar yr ochr chwith. Gwthiodd y bechgyn eu ffordd drwy'r drysau a'u bagiau trymion yn llusgo ar hyd y llawr y tu ôl iddyn nhw. Anelodd Glyn yn syth tua'r bwrdd pŵl ym mhen pella'r stafell gan estyn arian o'i boced i fwydo'r peiriant.

'Glyn Davies!' arthiodd Mr Llwyd o ben arall yr stafell, 'mi gei di ddigon o amser i chwarae pŵl yn nes 'mlaen. Aros i ti gael gwybod pa stafell rwyt ti'n aros ynddi gyntaf!'

Stwffiodd Glyn ei arian yn ôl i'w boced yn drafferthus gan wgu ar ei athro. Camodd dyn â chanddo sbectol gron i'r lolfa gan wenu ar y criw a oedd wedi tawelu'n reddfol i wrando ar yr hyn oedd ganddo i'w ddweud.

'Bore da i chi gyd . . . neu ddylwn i ddweud *prynhawn da* . . .' edrychodd ar ei oriawr, 'ddylwn! *Prynhawn da* i chi gyd a chroeso i Wersyll yr Urdd Caerdydd. Rwy'n deall y byddwch chi gyda ni yma am y tridiau nesaf felly mae'n well i ni ddod i adnabod ein gilydd ac i ddeall ein gilydd yn syth bin. Alun Owens ydw i, a fi yw pennaeth y Gwersyll. Oes rhywun wedi bod yma o'r blaen?' Edrychodd o'i gwmpas yn obeithiol. 'Na? Wel mae'r rheolau'n ddigon syml. Synnwyr cyffredin yw'r rhan fwyaf ohonyn nhw a dweud y gwir!'

'Mae synnwyr cyffredin yn beth prin iawn y dyddiau yma os chi'n gofyn i fi!' cyfrannodd Mr Llwyd gan geisio cynnig jôc fach sydyn i dorri'r naws. Edrychodd Alun Owens yn syn arno. 'Fel ro'n i'n dweud – y rheolau! Y rheol bwysicaf un yw i chi gofio eich bod mewn prifddinas brysur iawn ac felly mae angen i chi fod yn ofalus iawn bob amser. Dwi ddim am godi ofn arnoch chi, ond er mwyn i chi gael yr amser gorau posib yma yng Nghaerdydd mae angen i chi fod yn ddiogel. Does neb a dwi'n meddwl NEB i adael y Gwersyll hwn heb oedolyn. Yng ngwersylloedd eraill yr Urdd ry'ch chi'n medru crwydro allan yn y caeau chwarae ac ati yn eich amser sbâr, ond fan hyn, does dim modd crwydro y tu allan o gwbl. Y peth da wrth gwrs yw na fydd gennych chi lawer o amser sbâr yma yng Ngwersyll Caerdydd – o na! Mae Caerdydd yn llawn canolfannau a gweithgareddau gwych, ac mi fyddwch chi yn ymweld â nifer helaeth ohonyn nhw yn ystod eich arhosiad. Oherwydd ein bod ni'n rhan o adeilad Canolfan y Mileniwm, ni fydd hi'n bosib cynnal dril tân yn ystod y tridiau nesaf. Fodd bynnag mae'r gloch dân yn unigryw iawn felly rydych chi'n siŵr o'i hadnabod pe bai'n digwydd canu. Os fydd y gloch dân yn canu, mae'n bwysig eich bod yn mynd yn syth draw i gyfeiriad adeilad y Senedd yr ochr arall i'r ffordd garegog y tu allan i'r brif fynedfa yma. Peidiwch â defnyddio'r lifft. Defnyddiwch y grisiau yn unig. A thra 'mod i'n sôn am y lifft, ga i'ch rhybuddio chi y bydda i'n rhwystro pawb rhag defnyddio'r lifft os wna i ddal unrhyw un ohonoch chi'n chwarae o gwmpas. Ydi hynny'n glir?'

Clywyd ambell i 'Ydyn, Mr Owens,' o gwmpas yr stafell.

'Bydd eich prydau bwyd chi ar gael yn brydlon yn y ffreutur ac mae disgwyl i bawb fod ar amser os gwelwch yn dda. Yn olaf, yma yng Ngwersyll Caerdydd mae'r adeilad yn fodern iawn. Mae pob stafell yn en-suite ac ati, felly mi ddylech chi fod yn gyffyrddus iawn yma. Yn ychwanegol at hyn, mae gennym ni gardiau bach plastig i agor drysau. Dim ond UN plentyn o bob stafell fydd yn derbyn cerdyn felly mae angen i chi ddewis rhywun cyfrifol a chall i ofalu amdano.

'Mae plant cyfrifol a chall yn bethau prin iawn y dyddiau yma . . .' parhaodd Mr Llwyd gyda'i jôcs ofnadwy. Anwybyddodd Alun Owens ef, drwy lwc.

'Mi fydd dirwy os ydych yn colli neu'n torri'r

cerdyn. Rwy'n gobeithio y gwnewch chi fwynhau eich amser yma yn y Gwersyll ac yn y brifddinas. Oes unrhyw gwestiynau?'

Cafwyd ambell gwestiwn ynghylch oriau bwyd ac amser mynd i'r gwely, ond roedd llygaid Glyn yn craffu ar got Deian a oedd yn sefyll wrth ei ymyl. Edrychai fel petai ei galon yn mynd am dro o gwmpas ei frest! Ni chymrodd yn hir iddo sylweddoli mai'r llygoden fach lwyd oedd hi!

'Unrhyw gwestiwn arall?' holodd Alun Owens gan edrych o'i gwmpas yn amyneddgar. Cododd Glyn ei law yn araf.

'Ie?' holodd y pennaeth.

'Ym, meddwl oeddwn i, oes hawl dod â chreaduriaid i'r Gwersyll?'

Chwarddodd Alun Owens yn uchel. 'Creaduriaid!' meddai. 'Pa fath o greaduriaid wyt ti'n ei feddwl?'

'Www! Sai'n siŵr,' atebodd Glyn, 'anifeiliaid anwes falle, chi'n gw'bod, bochdew neu fydji, neu lygoden hyd yn oed . . .'

'Dwyt ti heb ddod â llygoden gyda thi gobeithio!' meddai Alun Owens â'i lais yn cynhyrfu.

'O nadw, Syr!' meddai Glyn ar hast. 'Dw i heb ddod ag anifail anwes . . .' taflodd gip i gyfeiriad Deian. Roedd hwnnw erbyn hyn yn goch fel betysen a gallai weld ambell i ddiferyn o chwys yn casglu wrth ei ffroenau, '. . . ond ro'n i'n meddwl petawn i'n gweld un yn y brifddinas yn ystod y tridiau nesaf ac yn ei phrynu, wedyn a fyddai hawl 'da fi ei chadw hi yma'n y Gwersyll erbyn i fi fynd adref.'

Daeth rhyddhad dros wyneb pennaeth y Gwersyll. 'Yr ateb syml i dy gwestiwn di yw NA! Does dim anifeiliaid o unrhyw fath i ddod i'r Gwersyll yma ar unrhyw amod!' Estynnodd Glyn wên a chic fach ysgafn i goes Deian a throdd hwnnw i edrych yn gas ar ei ffrind. Roedd Mrs Llwyd yn dal i grwydro o gwmpas poced cot Deian a bu raid iddo geisio ei rhwystro am fod llygaid Megan erbyn hyn wedi eu hoelio ar y bechgyn. Yn amlwg, roedd cwestiwn Glyn wedi ei chorddi hi braidd.

3

Ciwio i ginio

Erbyn i'r bechgyn gyrraedd y ciw ar gyfer cinio, roedd y merched wedi cyrraedd yno o'u blaenau. Safai'r bechgyn yn ddiamynedd allan yn y coridor gan ddisgwyl i bwy bynnag oedd nesaf i ddewis rhwng sglodion neu daten bôb.

'Dere mla'n wir!' meddai Glyn rhwng ei ddannedd tra'n rhwbio'i fol mewn poen. Doedd bol Jac ddim llawer gwell, a syllai'n freuddwydiol tua'r cownter ac ar y coesau cyw iâr oedd wedi eu pentyrru yno'n barod. Ceisiodd Rhodri dynnu sylw'r ddau.

'Meddyliwch fod Deian am gadw'r llygoden fach yna fel anifail anwes,' meddai â sioc yn ei lais.

'Clyw Rhodri,' atebodd Glyn, 'dyw Deian ddim am gadw'r llygoden 'na fel anifail anwes. Dim ond dweud hynny mae e.'

'Pam wyt ti'n meddwl hynny?' holodd Rhodri'n ddryslyd.

'Moyn defnyddio'r llygoden ar gyfer un o'i driciau eraill y mae e. Dwi'n siŵr y gall Deian feddwl am gannoedd o driciau i'w chwarae gyda'r lwmpyn bach o flew 'na.'

'Rhodri, ma' Glyn yn iawn. Deian yw'r boi d'wetha i gadw anifail anwes. Anifeiliaid, falle – mae e'n dwlu ar anifeiliaid fferm ei dad-cu, ond llygod? Dim gobeth!' Trodd Jac i gyfeiriad y cyntedd. Sylwodd ar Deian yn cerdded drwy'r drysau i ymuno â nhw.

'Cinio hwyr heddi bois!' meddai gan wenu ar y tri ohonyn nhw.

'Wel, ble ma' hi de?' holodd Glyn gan edrych yn fanwl ar bocedi jîns Deian. 'Dwyt ti heb ei stwffio hi fewn i fan'na gobeithio?'

Edrychodd Deian i lawr ar ei drowsus. 'Nadw achan,' meddai. 'Mae'n cysgu'n dawel tu mewn i 'mag molchi i o dan y gwely. Rois i ychydig o friwsion brechdanau iddi ac ro'dd hi i weld yn ddigon hapus. Fydd hi'n iawn fan'na tan i ni adel ddydd Gwener.'

'Clyw Deian, gad y dwli 'ma. Ni'n gw'bod yn iawn dy fod di'n ei chadw hi ar gyfer rhyw achlysur neu'i gilydd,' dechreuodd Glyn. 'Synnwn i ddim petaet ti wedi'i rhoi hi mewn yng ngwely un ohonon ni'n barod.'

Nodiodd Jac ei ben i ddangos ei fod yn cytuno, a throdd Deian ei ben i gyfeiriad Rhodri. Cododd hwnnw ei ysgwyddau'n araf.

'Olreit bois. Clywch, ma 'da fi gynllunie ar gyfer y llygoden, ond do's dim eisiau i chi fecso. Dw i ddim am chwarae unrhyw dricie arnoch chi.'

Edrychodd Glyn a Jac ar ei gilydd yn amheus.

'Wir bois, wna i ddim, dwi'n addo.'

Penderfynodd Glyn a Jac gredu eu cyfaill wrth barhau i ddilyn y ciw. Dewisodd y pedwar lond plât o fwyd a diod oer yr un cyn eistedd ar yr unig fwrdd oedd yn weddill iddyn nhw yn y ffreutur dwt, daclus.

'Beth yw'r cynllunie 'ma de?' holodd Jac cyn cydio mewn coes cyw iâr â'i ddwy law a rhwygo'r cig oddi arni gyda'i ddannedd.

'Dwi ddim yn siŵr iawn eto, ond mi wna i feddwl am rywbeth yn siŵr i chi!' meddai Deian, gan wincio ar ei gyfeillion wrth i rheini wenu'n ôl arno.

'Wel, os alli di, dewisa un arall o'r merched i dderbyn dy dric nesa di gyda Mrs Llwyd, achos ma' pob un ohonyn nhw'n llawn haeddu popeth gân nhw!' ychwanegodd Glyn, a oedd â saim yn diferu i lawr ei ên.

'Ma'r bwyd 'ma'n neis iawn on'd yw e?' meddai Rhodri wrth geisio cydbwyso'r pys yn ofalus ar ei fforc.

'Odi glei!' cytunodd Jac wrth gydio yn ei bedwaredd coes. 'A digon ohono fe 'fyd!'

'Ma'r Gwersyll 'ma'n sgorio cant mas o gant hyd yn hyn,' ychwanegodd Glyn. 'Stafelloedd mawr gyda thoiled a chawod, lifft i gyrraedd y llofft, cardiau swish i adel ni mewn i'n stafelloedd – ma'r lle gystal â'r Hilton bois bach!'

'Beth wyt ti'n edrych mla'n i wneud fwyaf 'te Glyn?' holodd Deian wrth wthio ei blât gwag o'r neilltu.

'Hmm, sai'n siŵr. Beth y'n ni'n neud i gyd ta beth?' holodd Glyn yn ddryslyd.

Estynnodd Rhodri ddarn o bapur oedd wedi'i blygu'n daclus o'i boced a'i agor yn ofalus. 'Dewch i ni gael gweld nawr 'te,' dechreuodd gan graffu ar yr amserlen a baratowyd ar eu cyfer gan Miss Hwyl. 'Ymhen rhyw hanner awr fyddwn ni'n mynd am dro i lawr i'r Bae, wedyn nôl fan hyn i swper, yna taith o gwmpas y Ganolfan cyn mynd i'r sinema nes 'mlan.'

'Ydyn nhw wedi dweud pa ffilm ni'n gwylio eto?' ymyrrodd Jac a oedd yn hoff iawn o ymweld â'r sinema.

'Na dy'n nhw'n dal heb ddweud. *Fe gewch chi wybod pan gyrhaeddwch chi* oedd ateb Mr Llwyd pan ofynnes i iddo fe'n gynharach,' meddai Rhodri.

'Beth am Miss Hwyl 'de?' awgrymodd Deian. 'Wneith hi ddweud wrthon ni.'

'Dyw hi heb gyrraedd eto sai'n credu. Os ewn ni i'r lolfa i gael gêm o pŵl ar ôl i Jac orffen stwffio'i geg allwn ni ei gweld hi'n cyrraedd drwy'r ffenest wedyn,' awgrymodd Rhodri. Cytunodd y gweddill.

Wedi i Jac orffen y chweched goes a llyfu ei fysedd yn lân, cerddodd y pedwar yn frysiog i gyfeiriad y lolfa ac anelu'n syth tua'r bwrdd pŵl. Drwy lwc, doedd neb yn chwarae. 'Mae'n rhaid fod pawb wrthi'n dadbacio,' awgrymodd Rhodri wrth gydio mewn ciw a dechrau rhoi sialc arni. Gwthiodd Glyn ei arian i mewn i'r peiriant gan dynnu'r peli bach sgleiniog o'i grombil a'u gosod yn y triongl pren yn barod i gychwyn. Rhoddodd Jac dipyn o sialc ar y ciw arall a thaflu darn o arian ar y bwrdd cyn galw ar Deian 'Pen neu gynffon?'

'Cynffon,' atebodd Deian. Cododd Jac ei law oddi ar y darn arian i ddangos pen y frenhines. 'Sori Deian, pen. Glyn, ti sydd i dorri.'

Pasiodd Jac ei giw draw i Glyn a phlygodd hwnnw dros y bwrdd cyn taro'r bêl wen yn ei chanol a chwalu'r peli eraill gyda'i ergyd gyntaf. Parhaodd y pedwar i chwarae'r gêm gan gymryd tro am yn ail tra'n disgwyl i Miss Hwyl gyrraedd y maes parcio tu allan. Byddai Miss Hwyl bob tro'n teithio yn ei char ei hun pan fyddai'r ysgol yn mynd ar daith bell. Doedd hi erioed wedi hoffi teithio mewn bws, ac roedd meddwl am deithio yr holl ffordd i Gaerdydd gyda llond bws o blant yn ddigon i wneud iddi deimlo'n sâl. Oherwydd ei bod yn berson mor gyfeillgar, roedd hi'n boblogaidd iawn gyda'r plant. Roedd y bechgyn i gyd yn ei hedmygu, neb yn fwy na Glyn a Jac. Pan fyddai'r athrawon eraill yn barod i bwyntio bys a rhoi'r bai ar Glyn am unrhyw gamymddygiad, byddai Miss Hwyl yn barod i wrando ar ei ochr ef o'r stori'n gyntaf. Er nad oedd Glyn yn ddieuog bob tro, eto i gyd roedd Miss Hwyl yn barod i sgwrsio a thrafod effeithiau ei weithredoedd. Yn dilyn sgwrs gyda hi, byddai Glyn bob tro yn difaru ac yn addo ceisio ymddwyn yn well, er mwyn peidio â siomi ei athrawes.

Pan welodd Rhodri gar Miss Hwyl yn parcio yn ymyl adeilad y Senedd, dim ond y bêl ddu oedd ar ôl ar y bwrdd pŵl. Gwyliodd y pedwar hi'n tynnu ei bag allan o gist y car ac yn croesi'r llwybr at ddrws y Gwersyll.

'Dy dro di yw hi Rhods,' meddai Deian gan basio'r ciw i'w ffrind. 'Ma' honna'n siot weddol rwydd – paid â methu!'

'Rhwydd?' protestiodd Rhodri. 'Bydd angen gwyrth arna i i suddo honna!'

'Cer i ofyn i Miss Hwyl pa ffilm ry'n ni'n ei gwylio heno,' gorchmynnodd Jac i Deian wrth ei gweld yn sefyll wrth gownter y prif fynedfa.

Cerddodd Deian allan yn hamddenol o'r lolfa tua'r cownter a sefyll yn dawel y tu ôl i Miss Hwyl a oedd yn brysur yn siarad gydag un o swyddogion y Gwersyll.

'A! Miss Hwyl, ry'ch chi wedi cyrraedd o'r diwedd,' meddai'r swyddog ifanc gan wenu arni ac estyn cerdyn plastig i'w llaw. 'Roedd Mr Llwyd yma eiliad yn ôl yn holi amdanoch. Roedd e fel petai mewn tipyn o banig am rywbeth.'

'O! Fel'na mae Mr Llwyd! Mae e mewn panig am rywbeth neu'i gilydd o hyd!' atebodd hithau gan wenu'n ôl ar y swyddog. Craffodd ar ei gerdyn adnabod cyn darllen, 'Ceredig Cadwaladr. Enw anghyffredin!' meddai.

'Enw *unigryw* fuaswn i'n ei ddweud!' atebodd

hwnnw'n syth gan barhau i wenu'n ôl arni. Gwridodd Miss Hwyl gan dwtio'i gwallt wrth sylweddoli fod y gwynt y tu allan wedi ei sgubo'n anniben ar draws ei boch.

Safodd Deian yn amyneddgar y tu ôl iddynt gan edrych ar ei oriawr a rholio'i lygaid. 'Miss Hwyl, sori i dorri ar draws eich . . . ahem, eich sgwrs chi, ond pa ffilm ry'n ni'n gwylio yn y sinema heno?'

Trodd Miss Hwyl i edrych ar Deian am y tro cyntaf gan godi ei haeliau, 'O Deian,' meddai yn ei llais tyner, 'ers pryd wyt ti wedi bod yn sefyll fan'na dwed?' Teimlodd ei hun yn gwrido unwaith eto a cheisiodd anghofio am wên Ceredig Cadwaladr am eiliad. 'A dweud y gwir wrthot ti Deian, dwi ddim yn siŵr iawn. Newydd gyrraedd ydw i a dwi heb gael cyfle i sgwrsio gyda Mr Llwyd eto. Ydych chi wedi gofyn iddo fe?'

'Do,' atebodd Deian yn siomedig, 'ond mae e'n gwrthod dweud wrthon ni.'

'O wel, Mr Llwyd sy'n gwybod orau. Mae'n well ichi aros tan heno felly.'

Sylwodd Miss Hwyl ar Glyn, Jac a Rhodri yn edrych drwy'r gwydr rhyngddynt â'r lolfa a chododd ei llaw i'w cydnabod. Cododd y bechgyn eu llaw yn ôl gan wneud stumiau ar Deian i ddychwelyd i orffen y gêm.

'Esgusodwch fi Miss Hwyl, ond rhaid i chi adael allwedd eich car yma gyda ni rhag ofn y bydd argyfwng, a bod angen ei symud. Rheolau adeilad y

Senedd, gwaetha'r modd,' meddai Ceredig Cadwaladr cyn estyn ei law i dderbyn allweddi mini Miss Hwyl. 'Diolch,' meddai drachefn. 'Fyddan nhw'n saff yn fan hyn i chi.'

Sylwodd Deian arno'n gosod yr allweddi ar fachyn ar y wal y tu ôl i'r cownter gyda rhes o allweddi eraill. 'Dw i am fynd nôl i chwarae pŵl 'te Miss.'

'Iawn Deian, wela i di a'r lleill ymhen rhyw bum munud.'

Dychwelodd Deian i'r Lolfa i wynebu siot ar y bêl ddu i'r boced ganol. Cydiodd yn y ciw a phlygodd dros y bwrdd gan orffwys ei ên ar y ciw wrth ei symud yn ôl ac ymlaen ac anelu at y bêl ddu, unig. Trawodd y bêl wen yn ysgafn a chywir wrth iddi daro'r bêl ddu yn glep i mewn i'r boced.

'Iei! Ew siot dda Deian boi!' meddai Rhodri yn uchel gan guro cefn ei gyfaill.

'Am lwc!' atebodd Jac gan daflu'i giw yntau ar y bwrdd. Cydiodd yn y bêl wen a'i rholio'n galed yn erbyn ochr y bwrdd nes ei bod yn adlamu o un gornel i'r llall.

'Beth oedd gan Miss Hwyl i'w ddweud 'te?' holodd Jac o'r diwedd. Cymaint cyffro'r gêm roedd e bron ag anghofio am y sinema.

'Dyw hi ddim yn gw'bod pa ffilm ry'n ni'n mynd i'w gweld, a dyw hi ddim yn mynd i ddweud wrthon ni chwaith,' atebodd Deian.

'Pam 'ny?' holodd Glyn yn grac.

'Achos mai dyna yw rheol Mr Llwyd,' atebodd Deian eto.

'Fetia i chi mai rhyw ffilm ferchetaidd fel *My Little Pony* neu ryw nonsens fel'ny fydd hi,' ychwanegodd Glyn gan eistedd ar un o gadeiriau esmwyth y lolfa.

'Fuest ti gyda Miss Hwyl yn ddigon hir. Am beth oeddech chi'n siarad 'te?' holodd Rhodri i Deian wrth i hwnnw eistedd ar gadair esmwyth gyferbyn â Glyn.

'Wel, ches i ddim cyfle i siarad llawer achos ro'dd hi'n rhy brysur yn fflyrtan gyda'r boi 'na y tu ôl i'r cownter,' meddai Deian gan bwyntio i gyfeiriad y swyddog, Ceredig Cadwaladr.

'Na!' meddai Glyn wrth anghofio'n sydyn am y gêm pŵl. 'Miss Hwyl yn fflyrtan?'

'Wel, *fe* oedd yn fflyrtan, a dweud y gwir. Ma' enw gwych 'da fe 'fyd.' Cliriodd Deian ei wddf cyn cyhoeddi'n uchel: 'Mr Ceredig Cadwaladr!'

'Waw! 'Na beth yw enw!' meddai Jac gan wthio darn arian i'r peiriant losin.

'Ti ddim am gael mwy i'w fwyta does bosib Jac!' meddai Rhodri wrth wylio'i ffrind yn pwyso'r botymau bach crwn ar wyneb y peiriant a derbyn dau faryn o siocled o'i grombil.

'Ma' pawb yn dechre casglu ar gyfer y daith lawr i'r Bae,' dechreuodd Jac gan amneidio i gyfeiriad y criw a oedd bellach wedi ymgasglu yn y cyntedd. 'Ac o'n i'n meddwl fod gwell i fi ga'l rhywbeth bach i roi yn fy

mhoced ar gyfer y daith. Ma' awel y môr yn siŵr o
godi chwant bwyd arna i!'

'Ma' popeth yn codi chwant bwyd arnot ti Jac!'
atebodd Glyn wrth fynd allan trwy ddrws y lolfa ac
ymuno â gweddill y criw yn barod ar gyfer y daith.

4

Bai ar gam

'Nawr 'te blant,' dechreuodd Mr Llwyd, 'pawb ar eu hymddygiad gorau. Deall?'

'Ydyn,' meddai pawb mewn cytgord. Doedd holl arferion Mr Llwyd ddim yn newydd iddyn nhw. Roedd e'n hoffi i bopeth fod yn berffaith. Er hynny, yn anaml iawn y byddai pethau'n digwydd fel y dymunai.

'Glyn! Jac! Dwi eisiau i chi'ch dau gerdded yn y blaen gyda fi. Y gweddill ohonoch chi, mi gewch chi gerdded fesul pâr y tu ôl iddyn nhw. Miss Hwyl, a wnewch chi gerdded yn y cefn os gwelwch yn dda?'

'Iawn Mr Llwyd,' atebodd hithau, gan droi ei llygaid yn frysiog o gyfeiriad y cownter.

'Mi fyddwch chi'n clywed nifer o ffeithiau diddorol ar y daith yma o amgylch y Bae felly gwrandewch yn ofalus,' ychwanegodd Mr Llwyd. Trodd ei gefn ar y plant a gwthio'r drws er mwyn ei agor. Dilynodd Glyn a Jac ef a dilynwyd hwythau gan weddill y criw. Cerddasant ar hyd y llwybr a arweiniai i lawr ochr chwith y Gwersyll heibio i'r Senedd ac ar hyd y llwybr o gwmpas y Bae. Roedd yr awyr yn glir a'r môr yn brysur wrth i gychod a llongau barhau ar eu teithiau cyfarwydd. Teimlai Mr Llwyd yn falch ei fod wedi gwisgo'i siwmper a'i siaced ysgafn oherwydd er mai mis Mai oedd hi, roedd yr awel yn dal yn oer a gwynt main y môr yn chwipio'i gorff. Roedd y ddau wirion y tu ôl iddo yn eu crysau-T. Daeth pwl o gryndod dros Mr Llwyd wrth ddychmygu pa mor oer yr oeddyn nhw'n teimlo.

'Ym, Mr Llwyd?' holodd llais y tu ôl iddo.

'Ieee?!' Tybiai'r athro mai gofyn am gael mynd nôl i'r Gwersyll i gasglu eu cotiau a fyddai Glyn a Jac nesaf.

'Mae 'na siop hufen iâ yr ochr arall i'r Bae. Gawn ni hufen iâ wedyn?'

Jac oedd perchennog y llais.

Arhosodd Mr Llwyd yn ei unfan nes i'r rhes y tu ôl iddo daro i mewn i'w gilydd yn ddirybudd. 'Hufen iâ?' meddai. 'Hufen iâ? Yn y tywydd yma?'

'Ie Syr. Dyw hi ddim yn oer o gwbl.'

Parhaodd Mr Llwyd yn ei flaen gan ysgwyd ei ben. '*Plant!*' ebychodd.

Roedd Miss Hwyl wedi derbyn yr un cwestiwn yng nghynffon y rhes o gerddwyr, ond roedd ei hateb hi'n fwy cadarnhaol o lawer. Gwyddai fod plant bob amser yn hoffi gwario'u harian ar deithiau preswyl, a hynny cyn gynted â phosib! Cofiai'r hyn y byddai ei mam yn arfer ei ddweud wrthi pan oedd hithau'n ifanc 'Mae'r arian 'na yn llosgi yn dy boced di!' Gallai weld Mr Llwyd yn aros bob yn hyn a hyn i godi ei sbienddrych ac edrych allan i gyfeiriad y môr. Syllodd hithau o'i chwmpas ar ddatblygiadau newydd y Bae. Roedd Caerdydd wedi newid cymaint yn ystod y blynyddoedd diwethaf yma. Teimlai fel ddoe pan oedd hi'n fyfyrwraig yn astudio i fod yn athrawes yma, a bellach roedd y ddinas wedi newid ei siâp bron yn llwyr!

Yn sydyn, dyma droi a cherdded ar hyd yr un llwybr yn ôl tuag ardal brysuraf y Bae gyda'r siopau newydd a'r bwytai trendi yn llenwi bob twll a chornel ohoni. Wrth gerdded heibio i'r siop hufen iâ plediodd y bechgyn unwaith yn rhagor fod angen hufen iâ arnyn nhw ond eu hanwybyddu a wnaeth Mr Llwyd. Parhaodd ar ei daith o amgylch y Bae gan adrodd hanes rhyw adeilad neu'i gilydd a phwyntio at wahanol adar a'u disgrifio'n fanwl, er mawr ddiflastod i Glyn a Jac. O'r diwedd roedd hi'n amser troi drwy ardal y siopau unwaith yn rhagor. Penderfynodd Mr Llwyd adael iddyn nhw fynd i brynu hufen iâ o'u dewis, er mwyn iddo gael llonydd yn fwy na dim byd arall. Safodd wrth fynedfa'r siop gan adael i Miss Hwyl fynd i gynorthwyo'r plant gyda'u harian ac i roi trefn ar y bechgyn dwl yna. Meddyliodd tybed sut y byddai'r plant yn ymateb o wybod ei fod wedi gofyn am newid y ffilm yr oedd y sinema am ei dangos y noson honno. Pan glywodd mai rhyw ffilm gartŵn Disney newydd oedd i'w dangos, rhoddodd ddiwedd ar hynny yn syth. Chwarae teg i reolwr y sinema am gydsynio, meddyliodd. Byddai rhaglen ddogfen yn dangos bywyd planhigion a physgod y môr yn fwy gweddus o lawer. Wedi'r cwbl, taith breswyl addysgiadol oedd hon i fod, nid gwyliau!

O un i un daethant allan o'r siop hufen iâ yn llyfu pob math o ddanteithion lliwgar. Dechreuodd Mr Llwyd grynu eto a chododd goler ei grys i gynhesu'i wddf wrth deimlo'r ias yn chwipio'i groen unwaith eto. Difarodd beidio â gwisgo'i sgarff. O weld fod Miss Hwyl yn helpu'r cwsmer olaf i gyfri ei harian yn gywir, penderfynodd gasglu'r plant ynghyd er mwyn cychwyn ar y daith yn ôl i'r Gwersyll. Wrth iddo droi i roi trefn ar y rhai oedd wedi crwydro i gyfeiriad y siopau bu bron iddo faglu dros Megan a oedd yn sefyll yn agos y tu ôl iddo.

'Ww Megan!' meddai gan geisio cael ei wynt ato. 'Bydd yn ofalus bach. Fues i bron â chwympo fan'na.'

'Sori Syr,' atebodd Megan gan edrych yn ddiniwed arno.

'Reit blant!' gwaeddodd, 'Mae'n amser i ni fynd nôl. Glyn! Deian! Tu ôl i fi os gwelwch yn dda.'

Casglodd y parau at ei gilydd er mwyn cychwyn ar y daith yn ôl tua'r Gwersyll. Wedi ychydig o gamau yn unig sylwodd Glyn ar rywbeth yng nghwfl siaced Mr Llwyd a rhoddodd bwt i fraich Jac yn ei ymyl gan amneidio ar eu hathro. Gwenodd ei ffrind wrth weld darn enfawr o hufen iâ yn gorwedd yno'n barod i Mr Llwyd ei dynnu ar ei ben. Wrth gerdded, sylwodd Glyn fod hwnnw wedi tynnu ei goler i fyny i'w achub rhag yr awel. A chafodd syniad. Taflodd winc sydyn i gyfeiriad Jac.

'Hei Syr!' meddai Glyn yn sydyn.

'Ie, Glyn.'

'Ydych chi'n oer Syr?'

'Ydw braidd, diolch i ti am ofyn Glyn.'

'Pam na wnewch chi godi cwfl eich siaced 'te Syr?' holodd Glyn yn ddiniwed. *Am syniad da* meddyliodd Mr Llwyd. Roedd e wedi llwyr anghofio fod cwfl ganddo ar ei siaced. Plygodd ei ben ymlaen ac estynnodd ei ddwy law y tu ôl i'w ben i godi'r cwfl ar ei ben. Yr eiliad nesaf roedd y darn hufen iâ yn botsh dros ei wallt ac yn diferu i lawr ei dalcen ac i mewn i'w glustiau.

Chwarddodd Glyn a Jac yn uchel wrth weld eu hathro'n troi'n araf i'w hwynebu. Gyda hynny dechreuodd pawb arall chwerthin yn uchel a phwyntio at Mr Llwyd. Yn wir, cafodd hyd yn oed Miss Hwyl drafferth i guddio gwên.

'GLYN DAVIES!' arthiodd Mr Llwyd gan droi yr un lliw â'r hufen iâ mefus a redai i lawr ei dalcen, 'RWYT TI WEDI EI GWNEUD HI'R TRO 'MA!'

'Fi Syr?' holodd Glyn, â'i wên yn toddi'n gynt na'r hufen iâ.

'Ie! TI Glyn!' atebodd Mr Llwyd gan sychu ei dalcen gyda llewys ei siwmper. 'Dwi'n gwybod yn iawn mai ti sy'n gyfrifol am hyn i gyd.'

'Ond Syr!' protestiodd Glyn. 'Ma' fy hufen iâ i fan

hyn, yn fy llaw i!' Cododd Glyn ei law i ddangos ei hufen iâ i'w athro. Edrychodd Mr Llwyd arno a sylwi ei fod yn dweud y gwir. 'Wel . . . rhaid dy fod ti wedi prynu dau te!'

Wrth i'r ddau barhau gyda'r ddadl roedd llygaid Jac wedi crwydro at y merched ac at Megan yn benodol. Sylwodd ei bod hi'n cnoi gwaelod ei chôn hufen iâ hi'n barod. Doedd bosib . . ?

'Dwi ddim am glywed rhagor!' meddai Mr Llwyd cyn troi ar ei sawdl. Dilynodd y gweddill ef, ond heb fentro siarad gair. Edrychodd Jac a Glyn ar ei gilydd mewn penbleth. 'Dwi'n hollol ddieuog,' meddai wrtho'i hun. 'Am fai ar gam!'

Swper am saith

Awr yn ddiweddarach, disgwyl i'r ffôn ganu yr oedd
Glyn a Mr Llwyd. Roedd yr athro eisoes wedi ffonio
cartref Mr Ifan, y prifathro, a gadael neges gyda'i
wraig i ffonio'r Gwersyll ar unwaith. Sicrhaodd Mrs
Ifan y byddai'n dweud wrth ei gŵr yr eiliad y
cyrhaeddai adref o'i gyfarfod. Roedd hynny bellach
tuag ugain munud yn ôl ac roedd Mr Llwyd yn
dechrau anesmwytho.

Eisteddai Glyn â'i ben yn gorffwyso yng nghledrau
ei ddwylo. Doedd hyn ddim yn deg. Efallai bod
ychydig o fai arno am gymell Mr Llwyd i wisgo cwfl
ei siaced, ond nid fe oedd wedi rhoi'r hufen iâ yno'n
y lle cyntaf. Cyn iddyn nhw fynd i mewn drwy brif
fynedfa'r Gwersyll cafodd Jac gyfle i rannu'i amheuon
gyda Glyn ynglŷn â Megan. Doedd y newydd yn fawr
o syndod iddo. Un o brif ddiddordebau Megan oedd
cael Glyn i drwbwl. Cofiodd y tro diwethaf bu'r ysgol
yng Ngwersyll Glan-llyn. Roedd hyn hyd yn oed yn
waeth na'r tric bowlio deg hwnnw.

Canodd y ffôn yn sydyn. Neidiodd Glyn o'i gadair
a sefyll yn ymyl Mr Llwyd wrth i hwnnw estyn i
godi'r ffôn. Pwyntiodd yr athro at y sedd lle'r

oedd Glyn yn eistedd ychydig eiliadau ynghynt a dychwelodd yntau iddi i wrando ar sgwrs ei athro a'i bennaeth.

'A! Mister Ifan, diolch i chi am ffonio nôl. Mae'n ddrwg iawn 'da fi darfu arnoch chi fel hyn Mr Prifathro ond mae 'na sefyllfa wedi codi yma'n y Gwersyll . . . Na . . . na . . . does neb yn sâl Mr Ifan, ond mae rhywbeth wedi di . . . Na . . . does dim hiraeth ar neb chwaith Mr Ifan, ond mae . . . ie, ie, ie chi'n iawn – Glyn, ie, ie, rwy'n deall Mr Ifan, mm . . . mmm . . . ie, iawn. Diolch i chi Mr Ifan. Hwyl nawr.' A rhoddodd Mr Llwyd y ffôn yn ôl yn glep yn ei chrud ac edrych draw ar Glyn wrth i wên ledu ar draws ei wyneb. 'Wel, wel,' meddai, heb dynnu ei lygaid oddi ar ei wyneb. Edrychodd Glyn yn ôl arno â'i lygaid ar agor led y pen gan ddisgwyl y gwaethaf. Parhaodd Mr Llwyd gyda'i artaith.

'Mae Mr Ifan wedi rhoi caniatâd i mi dy gosbi di fel yr ydw i'n dewis!' meddai â'r wên lydan yn dal yn ei lle. 'Dydy e ddim am ddod yr holl ffordd yma er mwyn mynd â thi adref. A dweud y gwir, dwi'n credu y bydd aros yma gyda fi llawer, llawer gwaeth cosb i ti beth bynnag!'

Edrychodd Glyn arno'n syn.

'O hyn ymlaen Glyn, rwy'n mynd i reoli popeth rwyt ti'n ei wneud yn ystod ein arosiad yma. Chei di ddim hyd yn oed anadlu heb 'y nghaniatâd i. Deall?' meddai Mr Llwyd yn awdurdodol.

'D . . . dwi'n credu 'mod i Syr!' atebodd Glyn yn swta.

'Iawn. Beth am ddechrau gyda swper? Fe gei di eistedd ar yr un bwrdd â fi, ac mi wna i ddewis dy fwyd di rhag i ti gael syniadau ac archebu mwy o hufen iâ.'

A chyda hynny, dilynodd Glyn ei athro allan o'r stafell gan lusgo'i draed i gyfeiriad y ffreutur. Roedd Jac, Deian a Rhodri eisoes yn bwyta'u swper, ond buan y distawodd y sŵn yn y stafell wrth i Glyn gydio mewn hambwrdd ac ymuno â'r ciw y tu blaen i Mr Llwyd. Gwthiodd ei hambwrdd yn araf ar hyd y cownter nes cyrraedd y sglodion a'r byrgyrs. Cododd ei fys yn barod i'w ddewis, ond cofiodd yn sydyn am reol Mr Llwyd.

'Nawr, nawr,' meddai yntau, 'mi wna i ddewis dy swper di. Dere i fi gael gweld nawr . . . W, hoffai Glyn fan hyn ddwy dafell o fara plaen heb fenyn, digonedd o foron a phys a ffa, taten bob, a darn bach o gaws . . .'

'Ond Syr, dw i ddim yn hoffi caws . . .' protestiodd Glyn.

Torrodd Mr Llwyd ar ei draws. 'Sori . . . darn *mawr* o gaws os gwelwch yn dda.'

Felly, llenwyd plât Glyn â bwydydd iach a chynigwyd sudd oren neu laeth iddo i'w yfed.

'Bydd dŵr yn iawn, diolch,' atebodd Mr Llwyd drosto unwaith eto. Cododd Glyn ei aeliau i edrych ar ei athro. Gwenodd hwnnw yn ôl arno. Oedd, roedd hyn yn waeth na mynd adre, meddyliodd Glyn.

Aeth y ddau i eistedd gyda'r athrawon eraill ar y bwrdd pellaf oddi wrth y cownter bwyd. Eisteddai Miss Hwyl yn y gornel yn sgwrsio gyda dwy athrawes o ysgol arall a throdd Mr Llwyd i sgwrsio gyda thri athro arall a oedd cyn hir, i gyd yn edrych yn amheus ar Glyn. Dechreuodd yntau fwyta'i fwyd yn dawel, heb edrych o'i gwmpas o gwbl. Gwyddai fod sawl pâr o lygaid yn edrych arno o bob cwr o'r stafell. Roedd hi'n amlwg fod stori'r hufen iâ wedi cyrraedd clustiau rhai o ddisgyblion yr ysgolion eraill a oedd yn aros yn y Gwersyll hefyd. Teimlai fel rhoi'r gorau i'w bryd diflas o fwyd, ond gwyddai y byddai Mr Llwyd yn ei orfodi i fwyta popeth. Wrth iddo orfodi'r fforcaid olaf o gaws a moron i'w geg, cerddodd Jac, Deian a Rhodri heibio i'r bwrdd gan holi os oedd chwant gêm sydyn o bŵl ar eu ffrind.

'Dydy Glyn ddim am chwarae pŵl heno fechgyn. Ond diolch am gynnig,' meddai Mr Llwyd yn uchel. 'Mae gan Glyn fan hyn bethau pwysicach i'w gwneud.'

Cododd Glyn ei ysgwyddau mewn penbleth wrth i'w ffrindiau ei throi hi am y lolfa. Doedd chwarae pŵl gyda dim ond tri ddim yr un peth. Pan gododd Glyn ei ben ar ôl gosod ei gyllell a'i fforc yn daclus ar bwys ei gilydd ar y plât, pwy oedd yn sefyll yno o'i flaen ond Megan.

'Esgusodwch fi, Mr Llwyd,' meddai â'i llais bach merchetaidd, diniwed.

'Beth sy' bach?' holodd yntau.

'Faint o'r gloch rydyn ni'n cwrdd ar gyfer y daith o gwmpas Canolfan y Mileniwm?'

'O aros di eiliad nawr, mae'r amserlen gen i fan hyn yn 'y mag.'

Wrth i Mr Llwyd ymbalfalu o dan y bwrdd am ei amserlen, fflachiodd llygaid Megan i gyfeiriad Glyn.

'Gest ti swper neis Glyn?' holodd yn gellweirus.

Gwgodd Glyn arni. Rywsut, llwyddodd i rwystro'i hun rhag taflu'r cwpanaid o ddŵr drosti. Ail ymddangosodd pen Mr Llwyd uwch y bwrdd â darn papur yn ei law. 'Mae'n dweud hanner awr wedi saith fan hyn Megan, felly mae'n well i ni ei siapo hi!' Cododd Mr Llwyd oddi ar ei eistedd gan gydio yn ei hambwrdd. Rhoddodd bwt i fraich Glyn gan amneidio arno i fynd â'i hambwrdd yntau nôl i'r cownter. Edrychodd Mr Llwyd ar ei oriawr cyn cyhoeddi: 'Mae gen ti ddwy funud union i fynd i wisgo siwmper a dychwelyd lawr i'r lolfa yma. Nawr cer, glou!'

Cerddodd Glyn yn gyflym i gyfeiriad y lifft ond penderfynodd gerdded heibio iddo a chymryd y grisiau. Camodd o un gris i'r llall gan obeithio y byddai'r bechgyn eraill yn yr stafell o hyd gan nad oedd cerdyn ganddo i agor y drws. Drwy lwc, roedden nhw yno. Rhedodd at ei fag a thynnu ei siwmper goch allan a dechrau ei gwisgo.

'Beth yw'r hast 'te Glyn boi?' holodd Jac. 'Dwyt ti ddim yn mynd adre wyt ti?'

'Na, dwi ddim yn mynd adre, ond mae'n rhaid i fi fod nôl lawr yn y lolfa o fewn munud!' Eglurodd Glyn yn fras beth oedd ei gosb ac na fyddai'n medru gwneud dim allan o olwg na chlyw Mr Llwyd am weddill yr wythnos. Suddodd calonnau'r bechgyn eraill o glywed hynny. Wedi'r cwbwl, drygioni Glyn oedd yr adloniant gorau ar deithiau preswyl yr ysgol! Roedd e'n medru gwneud y diwrnodau mwyaf diflas yn hwyl gyda'i jôcs diddiwedd a'i dynnu coes. Yna, diflannodd Glyn drwy'r drws ar ras gan gyrraedd y lolfa gydag ond rhai eiliadau i'w sbario. Ddwy funud yn ddiweddarach, cyrhaeddodd Jac, Deian a Rhodri y lolfa gan edrych o gwmpas am Glyn. Jac oedd y cyntaf i'w weld, yn eistedd yn ymyl Mr Llwyd yn darllen llyfr am adar gwyllt.

'Sdim diddordeb 'da Glyn mewn darllen am adar gwyllt oes e?' holoddd Rhodri'n ddryslyd.

'Sdim diddordeb darllen 'da Glyn ffwl stop!' atebodd Deian gan wenu. 'Cosb arall Mr Llwyd sbo!'

O fewn ychydig funudau roedd y lolfa'n llawn unwaith eto gyda nifer o ddisgyblion yr ysgolion eraill yn bresennol hefyd. Cerddodd menyw ifanc, tua'r un oed â Miss Hwyl, i mewn i'r stafell yn gwisgo crys polo du a logo Canolfan y Mileniwm arno.

'Os ga i'ch sylw chi i gyd os gwelwch yn dda?'

meddai mewn llais uchel, awdurdodol a hawliodd sylw pawb yn syth.

'Catrin ydw i a bydda i'n tywys rhai ohonoch chi o gwmpas y Ganolfan ymhen ychydig. Byddwch yn cael eich rhannu i ryw bedwar grŵp. Nawr, cyn i ni adael, mae gen i syrpreis bach neis ar eich cyfer chi.'

Edrychodd pawb ar ei gilydd gan geisio dyfalu beth allai'r syrpreis fod. Edrychodd Mr Llwyd a Miss Hwyl ar ei gilydd yn syn hefyd.

'Ar ôl y daith o gwmpas y Ganolfan roeddech chi i fod i fynd i'r Sinema i wylio . . .' craffodd ar y darn papur yn ei llaw, ' . . . *Life of the Ocean: A documentary.* Ond, ry'n ni wedi penderfynu rhoi sioe arbennig ymlaen i chi yn Theatr Donald Gordon ei hun! Chi fydd y rhai cyntaf i weld sioe newydd sbon, a hynny yn rhad ac am ddim!'

Clywyd ebychiadau o gwmpas yr stafell a dechreuodd ambell un neidio i'r awyr a choffeidio'i gilydd yn llawen.

'Theatr pwy?' holodd Jac i Rhodri, a oedd hefyd i'w weld yn hapus i glywed y newyddion.

'Donald Gordon,' atebodd Rhodri. 'Dyn busnes o Dde Affrica wnaeth gyfrannu £20 miliwn o bunnoedd i helpu adeiladu'r Ganolfan. Dyna pam mae'r theatr enfawr sydd yma wedi ei henwi ar ei ôl. Mae hi'n dal 1,900 o bobl medden nhw!'

'Waw!' meddai Jac â'i geg ar agor led y pen!

'Nawr, mae Cwmni Theatr Ieuenctid yr Urdd wedi

bod yn ymarfer yma ar gyfer yr Eisteddfod a fydd yn cael ei chynnal yma ddiwedd y mis ers wythnosau bellach. Erbyn hyn, maen nhw'n barod i berfformio ac maen nhw am wneud hynny heno yn arbennig ar eich cyfer chi. Bydd hynny'n ymarfer da iddyn nhw ar gyfer y perfformiadau go iawn.'

Daeth ambell i sgrech o lawenydd gan rai o ferched rhyw ysgol arall. Gwenodd Catrin. Ond sylwodd Glyn nad oedd Mr Llwyd yn edrych mor fodlon. Gallai athrawon fod yn greaduriaid digon od ar adegau, meddyliodd wrtho'i hun.

6

Ysbryd yr opera

Taith fer iawn a gafodd y pedwar grŵp o amgylch Canolfan y Mileniwm. Serch hynny, roedd cyfle i glywed nifer o ffeithiau diddorol am yr adeilad megis yr holl ddeunyddiau gwahanol a ddefnyddiwyd i'w adeiladu ac arwyddocâd gwahanol rannau o'r adeilad. Ni chafodd Glyn eiliad i ymlacio yn ystod y daith a bu'n rhaid iddo ganolbwyntio a gwrando ar yr holl wybodaeth oherwydd i Mr Llwyd fygwth rhoi prawf iddo wedi iddyn nhw ddychwelyd i'r ysgol.

O'r diwedd daeth yr amser i bawb fynychu Theatr Donald Gordon a rhyfeddu at ei faint. Roedd y lle'n anferth a phob modfedd yn sgleinio dan oleuadau llachar a lliwgar y llwyfan. Arweiniodd Catrin hwy i ganol y theatr.

'Cymerwch sedd os gwelwch yn dda. Rhain yw seddau gorau'r theatr i gyd gyda llaw, felly mwynhewch y profiad yn fawr!' meddai gan wenu. '"Ysbryd yr Opera" yw teitl y sioe heno, sef addasiad o'r fersiwn Ffrengig gwreiddiol, y nofel *Le Fantôme de l'Opéra,* ond efallai eich bod chi'n fwy cyfarwydd â'r fersiwn Seisnig, sef *"The Phantom of the Opera"*.'

Edrychodd Jac dros ei ysgwydd i weld lle'r oedd Glyn. Aeth sawl eiliad heibio cyn iddo allu ei weld yn eistedd rhwng Mr Llwyd a Miss Hwyl, yn edrych yn druenus dros ben!

'Dyw Glyn ddim yn edrych yn rhy dda bois,' meddai Jac wedi troi i wynebu'r llwyfan unwaith eto.

'Dyw Megan ddim wedi cyfaddef ei rhan hi yn helynt yr hufen iâ eto 'te?' holodd Rhodri.

'Na!' atebodd Deian yn dawel. 'Dyw hi ddim yn mynd i gyfaddef neu hi, nid Glyn, fydd yn gorfod eistedd rhwng Mr Llwyd a Miss Hwyl.'

Toc, diffoddwyd golau'r theatr a distawodd pawb yn syth. Am ychydig eiliadau doedd dim ond tywyllwch. Teimlai Rhodri ias yn rhedeg lawr ei gefn wrth i'r gerddorfa islaw daro nodau agoriadol y sioe. Roedd e'n hoff iawn o fynychu'r theatr. Wedi'r cwbl, byddai ei rieni'n mynd ag ef i Lundain yn aml i weld sioeau cerddorol.

Wedi llai na chwarter awr o'r sioe, roedd Glyn wedi llwyr anghofio ei fod yn eistedd rhwng dau athro. Plygai ymlaen yn ei sedd er mwyn medru llyncu pob eiliad o'r perfformiad. Roedd ef, fel y rhan fwyaf o fechgyn eraill y gynulleidfa, wedi cwympo mewn cariad gyda chymeriad Christine â'i llais soprano swynol. Cafwyd perfformiadau arbennig hefyd gan Raoul, ei chariad cenfigennus, heb sôn am Eric yr 'ysbryd'.

Ddwy awr a hanner yn ddiweddarach, pan gododd

y llenni am y trydydd tro ar ddiwedd y perfformiad, roedd Glyn yn dal i sefyll ar ei draed yn clapio nerth ei ddwylo ac yn chwibanu'n uchel dros y theatr i gyd! Yn wir, roedd pob un o'r gynulleidfa wedi eu syfrdanu gan berfformiadau'r actorion ifanc.

'Wnest ti fwynhau'r sioe Glyn?' holodd Miss Hwyl.

'Gwych Miss!' atebodd Glyn gan barhau i glapio'n frwdfrydig.

Doedd Mr Llwyd heb fwynhau'r sioe gystal, a hynny am ei fod, heb yn wybod i neb arall, yn dal i bwdu oherwydd canslo'r ymweliad â'r sinema. Tybed a fyddai modd mynd i'r sinema yfory i weld y rhaglen ddogfen yn hytrach na mynd i'r Stadiwm? meddyliodd. Gwyddai na fyddai hynny wrth fodd y plant wrth gwrs, felly penderfynodd yn erbyn y syniad.

Goleuwyd y theatr unwaith yn rhagor a dechreuodd y criw godi i baratoi i adael. Dychwelodd Catrin atyn nhw o gefn y llwyfan gyda newyddion fod rhai o aelodau'r cast wedi cytuno i gael sgwrs fer gyda nhw am y perfformiad. Roedd pawb wedi cynhyrfu'n lân o glywed hynny, a neb yn fwy na Glyn. Roedd Rhodri'n iawn wedi'r cwbl, meddyliodd. Mae'r theatr gymaint yn well na'r sinema gan fod cyfle i gyfarfod a sgwrsio'r â'r actorion mewn theatr.

Arweiniwyd y criw i lawr i gyfeiriad y llwyfan ac eisteddodd pawb mewn rhesi ar y llawr gan ddisgwyl i'r actorion ymuno â nhw. Llwyddodd Glyn i golli Mr Llwyd yn y rhuthr i gyrraedd at y llwyfan a mentrodd eistedd yn y rhes flaen gyda Jac, Deian a Rhodri. Ymhen ychydig, ymddangosodd tri chymeriad o gefn y llwyfan yn dal potel o ddŵr yr un ac yn gwenu ar y criw ifanc.

'Blant,' dechreuodd Catrin, 'dyma'r tri prif gymeriad, fel rwy'n siŵr ry'ch chi wedi sylweddoli erbyn hyn, sef Christine, Raoul ac Eric, neu Betsan, Hefin a Garmon, o roi eu henwau cywir iddyn nhw.'

Gwenodd Betsan a Hefin ar y plant tra gwgai Garmon gan sefyll rhyw fetr neu ddwy draw oddi wrth ei gyd actorion. Aeth y tri i eistedd ar gadeiriau ar y llwyfan a chyhoeddodd Catrin eu bod yn mynd i gyflwyno ychydig o'u hanes ac y byddai cyfle i'r plant ofyn cwestiynau ar y diwedd.

'Wel, Betsan ydw i a dwi'n chwara rhan cymeriad Christine yn y sioe. Dwi'n bedair ar bymtheg oed, yn wreiddiol o'r Gogledd ond bellach yn fyfyrwraig ym Mhrifysgol Caerdydd yn dilyn cwrs Cerdd a Drama. Dwi wedi bod yn aelod o Theatr Ieuenctid Cenedlaethol yr Urdd ers tair blynedd bellach. Wnaeth Hefin, Garmon a minna ddechra ar yr un pryd a deud y gwir, a 'dan ni wedi mwynhau pob eiliad.'

Nodio'i ben mewn cytundeb wnaeth Hefin ond parhau i wgu a wnai Garmon. Daliai i edrych ar wynebau ei gyd-actorion a'i lygaid yn fflachio'n ddig. Tro Hefin oedd hi nesaf i gyflwyno'i hun.

'Helô, shwt y'ch chi? Hefin dw i, a dwi'n dod o Gaerfyrddin. Fel wedodd Betsan, dwi wedi bod yn rhan o'r Theatr hwn ers tair blynedd hefyd ac yn falch iawn o ga'l un o'r prif ranne leni, sef rhan Raoul. Dwi'n ugain oed ac yn astudio Cerdd a Drama, fel Betsan hefyd, ond yn Llundain, sy'n golygu mwy o deithio nôl a mla'n ar yr M4, yn anffodus. Ond yn lwcus iawn, ma Garmon yn mynd i'r un Brifysgol â fi felly ry'n ni'n gallu rhannu lifft, sy'n gyfleus iawn!'

'A beth amdanat ti Garmon? Wyt ti am ddweud ychydig amdanat dy hun?' holodd Catrin.

Ochneidiodd Garmon gan ostwng ei ben i edrych ar y llawr o'i flaen. 'Garmon yw'r enw. Chwarae rhan Eric. Ugain oed. Dod o Abertawe. Mynd i Brifysgol yn Llundain.' Edrychai'r plant arno'n ddisgwylgar i barhau â'i stori, ond yn ofer. Cododd ei ben yn araf gan edrych yn syth ar Catrin i ddangos ei fod wedi gorffen. Edrychodd Glyn a Jac yn ddryslyd ar ei gilydd a phwysodd Deian draw gan sibrwd: 'Beth yw ei broblem e 'te?'

Cododd Glyn a Jac eu hysgwyddau. Roedd hi'n union fel petai e'n dal i chwarae rhan cymeriad Eric, yr ysbryd cenfigennus.

'Oes gan rywun gwestiwn i ofyn neu sylw am y sioe?' holodd Catrin yn awchus gan edrych o un i'r llall.

Ar amrantiad cododd Glyn ei law, fel sawl un arall o blith y criw. Felly, bu raid iddo aros ei dro cyn i Catrin droi ei sylw ato o'r diwedd.

'Ie, ti yn y blaen, beth hoffet ti ei ddweud?'

'Ym, cwestiwn sydd 'da fi,' dechreuodd Glyn, 'i Betsan a Hefin. Ydych chi'n teimlo embaras pan ry'ch chi'n gorfod actio'n gariadus ar y llwyfan?'

Gwenodd Betsan gan ddatgelu rhes o ddannedd gwyn. Dawnsiai ei llygaid glas dan oleuadau llachar y llwyfan. Doedd Glyn erioed wedi gweld neb yn edrych mor brydferth ag yr edrychai Betsan yr eiliad honno. Llamodd ei galon wrth ei chlywed yn ei ganmol.

'Cwestiwn da iawn!' meddai Betsan gan gydio yn llaw Hefin wrth ei hochr. 'Wel, a deud y gwir, mae'n reit hawdd oherwydd mae Hefin a finna'n gariadon go iawn, ac wedi bod ers tua dwy flynadd bellach!'

Gyda hyn, cododd Garmon o'i sedd yn sydyn gan wthio'i gadair wichlyd yn ei hôl. Cerddodd yn wyllt allan drwy'r llenni i gefn y llwyfan.

'Ym, dwi ddim yn meddwl fod Garmon yn teimlo'n dda,' meddai Hefin gan edrych yn ddryslyd i gyfeiriad ei gyd-actor, cyn troi i edrych unwaith eto ar y plant. 'A beth oeddech chi'n meddwl o'r sioe 'te? Ydych chi'n meddwl y bydd yr ymwelwyr â'r eisteddfod yn ei mwynhau?'

Nodiodd y plant eu pennau i gyd a chododd pawb eu dwylo pan ofynnwyd iddyn nhw pwy fyddai'n dychwelyd gyda'u teuluoedd ddiwedd y mis.

Wedi'r cyfan, doedd neb i wybod y byddai'n rhaid canslo'r sioe.

7

Gwledda amser gwely

Wrth iddyn nhw gerdded allan o Ganolfan y Mileniwm ac ar hyd y palmant yn ôl i'r Gwersyll, sôn am y sioe a welsant yn Theatr Donald Gordon oedd ar wefusau pawb. Teimlai Rhodri'n falch fod ei dri ffrind o'r diwedd wedi gweld sioe fyw a'u bod, bellach, yn gallu rhannu'r wefr gydag ef. Roedd e wedi cael llond bol o ddychwelyd o Lundain ar ôl gwylio sioe newydd ac yn methu rhannu'r profiad yn llawn gyda'i ffrindiau. 'Ydych chi'n meddwl mai cenfigennus oedd Garmon 'te?' clywodd Rhodri Glyn yn gofyn.

'Weden i nad Garmon oedd yr unig un cenfigennus 'na heno,' atebodd yntau.

'Be' ti'n feddwl Rhod?' holodd Deian gan daflu winc i'w gyfeiriad. 'Wyt ti'n trio dweud bod Glyn yn genfigennus 'fyd? Wyt ti'n trio dweud fod Glyn wedi disgyn mewn cariad â Betsan?'

'O gadewch hi nawr bois!' meddai Glyn a oedd wedi deall mai ceisio ei gynhyrfu oedd y bechgyn. 'Ydi, mae hi'n brydferth. Ydw, dwi'n ei ffansio hi. Ond, nadw, dwi ddim *mewn cariad* â hi. Iawn?'

Llwyddodd i osgoi mwy o dynnu coes wrth i Mr Llwyd alw arno o ddrws y Gwersyll. Cerddodd Glyn ato â'i ben yn gwyro'n llipa tua'i frest a'i draed yn llusgo ar hyd y tarmac dan draed.

'Ar ôl i mi gael gair gyda phawb cyn mynd i'r gwely, dwi am i ti aros ar ôl yn y lolfa er mwyn clywed ambell i reol fach ychwanegol y bydda i'n eu gosod ar dy gyfer di,' meddai Mr Llwyd â gwên yn ymddangos unwaith yn rhagor ar ei wefusau main.

'Iawn Syr,' atebodd Glyn yn swta gan ddilyn y lleill i mewn i'r lolfa'n dawel. Ond ni fu raid iddo aros yn hir cyn clywed rheolau ychwanegol Mr Llwyd. Drwy lwc, roedd e'n cael aros yn yr un stafell â'i ffrindiau ond yn gorfod codi awr a hanner o'u blaenau er mwyn helpu glanhau'r lolfa a'r cyntedd a pharatoi'r brecwast – gosod y cyllyll a'r ffyrc ac ati.

Erbyn iddo gyrraedd ei stafell wely roedd Jac, Deian a Rhodri eisoes wedi diffodd y golau ac yn trafod sefyllfa Glyn yn y tywyllwch.

'Be? Ma' Mr Llwyd yn gadael i ti aros fan hyn gyda ni?' holodd Rhodri mewn anghrediniaeth.

'Ydi, ond ar yr amod mod i'n mynd yn syth i lanhau 'nannedd ac yna'n syth i gysgu. O ie, ac mae'n rhaid i fi godi am 6 o'r gloch bore fory hefyd er mwyn gallu helpu staff y Gwersyll.'

'Sdim hawl gyda fe neud 'na!' poerodd Deian wrth fethu credu'i glustiau.

'Wel, ma' hawl 'da fe gwlei!' atebodd Glyn yn swta. 'Mae e wedi ffonio Mam a Dad i ofyn eu caniatâd nhw a ddwedon nhw wrtho fe y bydde codi am 6 i wneud ychydig bach o waith yn gwneud lles i fi!'

'Ffoniodd e dy rieni di?' holodd Jac â'i lygaid yn fawr.

'Do! Felly mae'n well i fi wrando arno a glanhau nannedd a mynd i gysgu.'

Gorweddodd y tri bachgen yn eu gwelyau yn dawel tra aeth Glyn i baratoi ar gyfer mynd i'w wely bync o dan Jac.

Aeth rhai eiliadau o dawelwch heibio. Deian oedd y cyntaf i ildio.

'Psst! Glyn! Wyt ti'n siŵr dy fod ti am fynd i gysgu nawr?'

'Ydw!' sibrydodd Glyn gan droi i wynebu'r ffenest. Llifai golau o hyd drwy'r llenni i'r stafell o'r Senedd.

'Trueni 'fyd,' aeth Deian yn ei flaen. 'Roedd her reit dda 'da fi ar gyfer heno.'

Gyda hynny neidiodd Glyn o'i wely a chamu tuag at y swits golau. Llenwyd yr stafell â golau cryf ar unwaith a dallwyd Jac a Deian a oedd yn gorwedd yn y bynciau uchaf. Llusgodd Glyn gadair i ganol y llawr cyn eistedd a rhwbio'i ddwylo yn ei gilydd.

'Dere mla'n 'te!' meddai gan edrych yn heriol ar Deian ond ag arlliw o wên ar yr un pryd. 'Beth yw'r her 'ma 'te?'

Erbyn hyn, roedd gwên yn dechrau lledu ar draws wyneb Deian hefyd. 'Ro'n i'n meddwl dy fod ti am fynd i gysgu'n syth Glyn Davies!'

'Ydw, dwi *i fod* . . . ond ti'n nabod fi, dwi ddim yn un i droi her i lawr!'

Ond daeth Rhodri i ymyrryd ar gynlluniau'r ddau. 'Aros eiliad nawr Glyn, ti'n lwcus iawn nad yw Mr Llwyd wedi dy ddanfon di adre'n barod. Os wneith e dy ddal di mâs o'r gwely nawr, fydd e'n saff o dy ddanfon di adre wedyn.'

Gadawodd Glyn i eiriau Rhodri droi yn ei ben am ychydig eiliadau cyn ateb. 'Ti'n iawn Rhods. Ond ti'n gw'bod beth? Sdim ots da fi! Achos ma pregeth yn 'y nisgwyl i pan a i adre 'ta beth. Man a man i fi fwynhau'n hunan tra mod i 'ma!'

A chyda hynny, neidiodd Deian o'i wely gan estyn am ei fag a'i lusgo'n ofalus allan i ganol y llawr. Sylwodd Glyn fod ei ffrind yn syllu i mewn i'w fag fel petai ar fin ffrwydro. Dechreuodd ofidio. Yna, dyma Deian yn agor ei fag molchi'n raddol gan ddatgelu . . . Mrs Llwyd . . . y llygoden . . . oedd wedi dechrau stwffio'i thrwyn allan o agoriad cul y bag.

'Dwi ddim yn mynd i fwyta'r un llygoden!' protestiodd Glyn gan sefyll ar ei draed yn wyllt.

'Na na! Paid â bod yn hurt 'achan!' cysurodd Deian ef yn gyflym. Eisiau cael gafael ar y siocled o waelod y bag dw i! Mrs Llwyd oedd yn y ffordd!'

Tawelodd meddwl Glyn ac eisteddodd ar y gadair drachefn. Gwelodd Deian yn tynnu sawl bar o siocled allan o'i fag cyn agor dau ohonyn nhw.

'Nawr 'te Glyn,' dechreuodd Deian a oedd hefyd yn

rhwbio'i ddwylo erbyn hyn. 'Os dwi'n cofio'n iawn, wnest di ennill hanner yr her y llynedd heb orfod bwyta'r un darn o siocled, neu'r un wy siocled ddylwn i ddweud.'

Edrychodd Glyn yn amheus arno ond aeth Deian yn ei flaen.

'Wel, eleni fe gei di gyfle i rasio yn f'erbyn i am unwaith. Man a man i ni ei wneud yn erbyn y cloc 'fyd os wyt ti Jac am ymuno fel y llynedd?'

Eisteddodd Jac i fyny yn ei wely gan bwyso'n ôl yn erbyn y gobennydd â'i ben yn erbyn y wal.

'Wrth gwrs. Faint o amser wyt ti'n ei ganiatâu ar gyfer yr her? Hanner munud i orffen y baryn gyfan?'

'Na, dwy funud,' atebodd Deian.

'Dwy funud? Ond ma hynny'n rhwydd! Gall fy chwaer fach i orffen yn gynt 'na hynny!' protestiodd Jac yn syth.

'Aros eiliad nawr!'

Estynnodd Deian i mewn i'w fag unwaith yn rhagor cyn tynnu cyllell a fforc allan a'u gosod ar y bwrdd, bob ochr i'r bariau siocled. Yna, tynnodd ddwy botel fach o *Fairy Liquid* a'i gosod yng nghanol y bwrdd fel y byddai ei fam yn gosod yr halen a'r pupur yn ddestlys amser swper.

'Beth yw hyn?' holodd Glyn wrth sylweddoli nad ras bwyta siocled gyffredin mohoni.

'Yn gyntaf, y rheolau,' dechreuodd Deian. 'Fe weli di'r poteli *Fairy Liquid*? Wel, mae'n rhaid i ni arllwys yr hylif i'n dwylo'n gyntaf a'i rwbio rhwng ein bysedd a thros ein cledrau i gyd. Yna, rhaid defnyddio'r cyllyll a'r ffyrc i fwyta'r bariau siocled. Tipyn o dasg, fel y gellwch ddychmygu! Bydd ein bysedd ni'n llithrig iawn ac fe fydd hi'n anodd dal y gyllell a'r fforc heb sôn am dorri'r siocled caled a'i fwyta!'

Crafodd Glyn ei ben mewn penbleth. Oedd, roedd hyn yn swnio'n anodd iawn! Dechreuodd Glyn feddwl sut y byddai Deian yn gallu ei dwyllo a chael mantais arno er mwyn ennill yr her.

'Os wyt ti Glyn yn meddwl mod i wedi bod yn ymarfer adre, wel, ti'n anghywir! Wnes i ond meddwl am y syniad neithiwr, ac felly dim ond y bore 'ma ces i gyfle i gasglu popeth at ei gilydd!'

'Felly, ti heb ymarfer o gwbl 'te?' holodd Glyn.

'Na ddim o gwbl,' atebodd Deian gan edrych i fyw ei lygaid.

'Iawn. Jac a Rhodri, chi'n barod i amseru?'

'Ydyn,' atebodd y ddau arall gyda'i gilydd, Rhodri'n sefyll y tu ôl i Deian a Jac y tu ôl i Glyn. Gwasgodd Deian ddiferion o'r botel hylif golchi llestri i gledr ei law chwith a gwnaeth Glyn yr un peth. Llygadodd y ddau ei gilydd wrth iddyn nhw rwbio'r hylif dros eu dwylo a rhwng eu bysedd nes fod popeth yn slic fel llethr sgio. Nesaf, a chyda chryn drafferth, cydiodd y ddau yn y cyllyll a'r ffyrc cyn dechrau, ar orchymyn Rhodri, i dorri drwy'r bariau siocled. Am y deg eiliad cyntaf, ni lwyddodd yr un ohonyn nhw

dorri'r mymryn lleiaf drwy'r siocled trwchus oherwydd
i'r cyllyll lithro o'u gafael bob tro. Dechreuodd Deian
ddifaru gosod yr her o gwbl oherwydd roedd e'n ei
chael hi'n anoddach na Glyn i feistrioli'r offer llithrig.
Ond, cyn hir, dyma'r ddau'n llwyddo i ddal y cyllyll yn
ddigon hir i fedru torri darn o'r siocled a'i gydbwyso'n
ofalus o'r bwrdd i'w cegau. Cnodd y ddau'n awchus
wrth ddychwelyd at y dasg o dorri ail ddarn. Roedd
torri hwnnw'n haws. Roedd y ddau'n ymddangos yn
gwbl gyfartal. Ond, wrth iddyn nhw rwyfo'r trydydd
a'r pedwerydd darn i'w cegau, roedd Glyn fel petai y
mymryn lleiaf ar y blaen. A chyda'r amser bron ar
ben, roedd darn go helaeth o siocled yn parhau i
wynebu'r ddau. Dechreuodd Glyn haneru'r darn olaf
er mwyn hwyluso'r dasg o'i gnoi ond penderfynodd
Deian stwffio'r darn cyfan i'w geg gan obeithio y
byddai'r amser a arbedai o geisio torri'r darn yn llai yn
ddigon i roi mantais iddo. Ac felly y bu. Gydag ond
wyth eiliad yn weddill, llwyddodd Deian i lyncu'r darn
olaf o siocled ac agor ei geg i brofi ei fod wedi
ennill. Parhau i gnoi'n awchus wnai Glyn. Gwgodd
wrth sylweddoli ei fod wedi colli'r ras. O, roedd e'n
casau colli!

'Wel, wel, wel,' dechreuodd Rhodri 'mae hyn yn
golygu fod Deian yn gosod dwy her! Un i ti Glyn. Ac
un arall i tithe Jac. Druan â chi!'

O'r diwedd, gorffennodd Glyn ei siocled ac
edrychodd ef a Jac ar ei gilydd yn ofnus. Roedd heriau

Deian, heb os, yn heriol! Roedd ganddo'r ddawn i fod yn reit slei weithiau, mor slei â Megan a'i chriw a dweud y gwir. Estynnodd Deian ei law i mewn i'w fag a thynnu masg anghyffredin yr olwg allan ar gyfer her Glyn . . .

8

Lawr, lawr yn y lifft

Fel y llynedd, ffeindiodd Glyn ei hun yn crwydro trwy goridorau unig a thawel y Gwersyll yn ystod oriau mân y bore. Ond yn wahanol i'r llynedd, roedd ganddo fwy na'i bants amdano heno. Roedd her Deian wedi caniatáu iddo wisgo'i ddillad nos. Roedd hefyd yn gorfod gwisgo un o flancedi cotwm gwyn y gwely a masg enwog y Phantom! Masg gwyn yn cuddio tri chwarter ei wyneb oedd hwnnw. Wrth gerdded yn ofalus i gyfeiriad y lifft meddyliodd Glyn am yr hyn a fyddai'n rhaid iddo'i gyflawni. Yn gyntaf, roedd yn rhaid iddo gymryd y lifft i lawr y merched uwchben. Yna, rywsut, roedd angen iddo fynd ar hyd y coridor i chwilio am stafell Megan a'i chriw, cnocio ar y drws, codi ofn ar bawb ac yna rhedeg yn ôl i'w stafell *heb gael ei ddal*! Roedd yr her bron yn amhosib. Ond oherwydd styfnigrwydd Glyn, roedd e'n mynnu rhoi cynnig arni. Cyrhaeddodd y lifft ac agorodd y drysau iddo. Gwasgodd fotwm y llawr uchaf cyn clywed y 'ping' a gweld y drysau'n cau o'i flaen. Croesodd ei fysedd na fyddai neb arall yn defnyddio'r lifft yr adeg yma o'r nos. Yna, clywodd 'ping' arall wrth i'r drysau neidio ar agor. Safodd am eiliad neu ddwy er mwyn clustfeinio. Na, doedd dim sŵn traed na lleisiau'n siarad i'w clywed yn unman. Yn ofalus felly, aeth yn ei flaen a rhoi cynnig ar agor y drws i goridor y merched. Ond fel y tybiai, roedd hwnnw ar glo. Yn reddfol felly, aeth Glyn yn ei ôl i gyfeiriad y lifft. Cerddodd heibio i stafell fechan y staff, ac o weld fod y drws yn gil agored, fel mellten, aeth i mewn iddi. Buan y sylweddolodd fod lwc o'i blaid wrth iddo sylwi fod rhywun wedi gadael cerdyn drws ar y cwpwrdd ger y tegell. Heb feddwl dwywaith, cydiodd Glyn ynddi cyn troi ar ei sodlau. Roedd pobman fel y bedd o hyd wrth i Glyn gerdded ar flaenau'i draed i lawr y coridor hir yn chwilio am enw Megan a'i ffrindiau ar ddrws un o'r stafelloedd. Yna, o'r diwedd, gwelodd lawysgrifen gain Bethan yn addurno papur A4 a oedd wedi'i lynu wrth ddrws stafell ym mhen draw'r coridor. Dyma lle'r oedd ei lwc yn dod i ben, meddyliodd Glyn. Oedd rhaid i'w hystafell fod mor bell oddi wrth y lifft?!

Ond, doedd e ddim am ildio. Pwysodd y swits gerllaw er mwyn diffodd y golau a pharatodd ei hun i gnocio ar y drws. Addasodd y masg ar ei wyneb er mwyn gwneud yn siŵr na fyddai modd i'r merched ei adnabod a sicrhaodd fod ei ddillad nos wedi eu gorchuddio'n llawn gan y flanced wen. Yn wir, teimlai fel ffŵl! Sut ymateb oedd e'n mynd i'w gael gan y merched tybed? Roedden nhw'n siŵr o gynhyrfu o weld y masg gan mai dim ond ychydig oriau'n ôl yr oedden nhw wedi ei weld ar lwyfan y theatr!

Cnociodd Glyn ar y drws yn sydyn. Dim byd. Felly cnociodd unwaith eto. Ymhen ychydig, clywodd y merched yn dechrau sgwrsio'n gysglyd ymysg ei gilydd. Grêt, meddyliodd wrtho'i hun. A chnociodd unwaith eto, ychydig yn uwch y tro hwn.

'Olreit, olreit! Dod!' meddai llais anniddig Megan o ochr arall y drws. 'Bethan! Eirlys! Dewch da fi rhag ofan mai *knock and run* yw e!'

Yn araf, clywodd Glyn y clo'n troi a'r ddolen yn cael ei gwasgu. Safodd yn hollol llonydd yn syllu'n syth o'i flaen a'i ben yn gam. Pan agorwyd y drws led y pen yr hyn a wynebai'r merched yn erbyn cefndir tywyll y coridor oedd ysbryd gwyn a hanner wyneb yn hongian yn llipa i un ochr.

'Aaaaaaaaaaaaaaaaaaaaaaaa!' sgrechiodd y dair gyda'i gilydd. Dyna oedd yr arwydd ar i Glyn redeg nerth ei draed i gyfeiriad y lifft. Gwyddai na fyddai'n hir cyn i'r holl goridor ddeffro, felly doedd dim amser i'w golli.

Cyrhaeddodd y lifft ond roedd hwnnw erbyn hyn ar lawr arall. Doedd Glyn heb ragweld hynny. A oedd am fentro rhedeg i lawr y grisiau neu aros? Gallai glywed lleisiau gwyllt y merched yn berwi allan i'r coridor ac ymbilodd ar y lifft i gyrraedd ar frys. O'r diwedd! Daeth y 'ping' cyfarwydd ac agorodd y drysau tua'r un amser ag y daeth sŵn drws y coridor yn agor y tu ôl iddo. Neidiodd i mewn i'r lifft gan wasgu'r botymau'n chwyrn er mwyn cau'r drysau. Yn sydyn, gallai deimlo'i hun yn gostwng yn raddol yng nghrombil y lifft wrth symud lawr yr adeilad. Yn ei wylltineb, ni wyddai Glyn pa fotymau yr oedd wedi eu gwasgu na sawl gwaith. Teimlodd banic yn cropian drosto wrth sylweddoli fod y lifft yn parhau i ddisgyn er mai dim ond un llawr yn is na'r merched oedd ei stafell. Beth petai'r lifft yn mynd i lawr i'r dderbynfa. Byddai'n siŵr o gael ei ddal wedyn!

Parhau i ddisgyn yn is ac yn is a wnaeth y lifft. Dechreuodd Glyn deimlo oerfel a thamprwydd yn llenwi'i ffroenau. *I ble ar y ddaear, neu o dan y ddaear, roedd y lifft yma'n mynd ag ef?* meddyliodd gan wasgu'r botymau'n wyllt unwaith eto. Ond yn ofer. Yna, arhosodd y lifft yn sydyn. Clywodd y 'ping' cyn i'r drysau agor a gwasgodd ei hun yn dynn wrth ochr y lifft. Eisteddodd yn ei unfan am rai eiliadau heb fentro anadlu na symud modfedd. Doedd dim i'w glywed o gwbl. Yn raddol, mentrodd wyro'i ben o amgylch y drysau i gael cip.

Ond y cyfan a allai Glyn ei weld oedd tywyllwch. Dan olau gwan y lifft, daeth i sylweddoli'n araf ei fod mewn rhyw fath o seler. Seler oer a thamp. Ceblau trydan trwchus a fframiau haearn oedd y cyfan oedd yno. Daeth Glyn i'r casgliad mai seiliau'r adeilad oedd y rhain. Rywffordd, rhaid ei fod wedi gwasgu rhyw gôd cudd yn y lifft ac mai dyna sut y cyrhaeddodd y seler. Arswyd y byd, meddyliodd! Tybed a fyddai'r bechgyn eraill yn ei gredu pan fyddai'n dychwelyd gyda'r newyddion yma? Mae'n siŵr y bydden nhw wrth eu bodd yn dod i lawr fan hyn. Roedd e ar fin troi nôl i grombil y lifft pan glywodd sŵn yn dod o'r pellter. Safodd yn gwbl llonydd i glustfeinio. Tybed a oedd ei glustiau'n chwarae triciau? Yna, clywodd Glyn sgrech a wnaeth i bob un blewyn ar ei ben godi fel cefn draenog. Sgrech hir, fain, oeraidd. Sgrech waeth hyd yn oed na'r un a glywodd ychydig ynghynt yn dod o stafell y merched. Gwasgodd fotymau'r lifft yn wyllt unwaith eto. Drwy lwc, caeodd y drysau'n syth.

'Sdim ishe gofyn os wnest ti lwyddo Glyn,' dechreuodd Deian wrth i Glyn neidio i mewn i'w wely, 'ro'n ni'n gallu clywed sgrechfeydd y merched o'r fan hyn!'

'Be wnest ti 'de, Glyn boi?' holodd Jac wedyn. 'Dim ond codi ofn arnyn nhw o't ti i fod i 'neud, nid achosi iddyn nhw gal trawiad ar y galon!'

Gorwedd yn dawel a wnai Glyn. Roedd y sgrech a glywodd o dan y ddaear yn parhau i adleisio drwy ei ben ac ni allai ysgwyd y sŵn erchyll o'i feddwl. Aeth sawl eiliad heibio cyn i'r bechgyn synhwyro nad oedd popeth cweit yn iawn.

'Glyn boi! Ti'n iawn?' holodd Jac yn dawelach y tro hwn.

'Hei, sori bois. Dw i jyst wedi cael bach o ofn, na'i

gyd,' atebodd Glyn wrth drosi dan y dwfe a brwydro i ddadwisgo'i hun o'r flanced a'r masg. Cuddiodd y masg y tu mewn i'w gas gobennydd ac wedi neidio o'r gwely, llwyddodd i ailosod y flanced wen ar y matras cyn neidio yn ôl unwaith yn rhagor i gynhesrwydd ei gae sgwâr. Gwyddai y byddai rhywun yn dod i chwilio amdano unwaith y byddai'r merched wedi setlo. Ac yn wir, buan y daeth y gnoc ar y drws.

'Ydi popeth yn iawn Syr?' holodd Jac wrth rwbio'u lygaid yn gysglyd fel petai Mr Llwyd newydd ei ddeffro o ganol trwmgwsg.

'Glyn!' arthiodd yr athro wrth gamu i mewn i'r stafell a chynnau'r golau. Yna camodd ymlaen at wely Glyn wrth i hwnnw droi'n araf fel petai'n deffro am y tro cyntaf ers oriau.

'Ie Syr?' atebodd gan geisio'i orau i swnio'r un mor gysglyd â Jac.

'Glyn! Wyt ti wedi gadael yr stafell 'ma o gwbwl heno?' holodd Mr Llwyd eto, ond ychydig yn llai crac y tro 'ma. Roedd Glyn yn wirioneddol edrych fel petai wedi bod yn cysgu.

'Na, wnes i ddod yn syth i'r gwely Syr, yn do fe bois?' atebodd Glyn gan godi'i aeliau i gyfeiriad y tri arall a syllai i'w gyfeiriad yn eiddgar.

'Do wir,' meddai Deian, a oedd wedi penderfynu ychwanegu at y celwydd golau roedd y bechgyn yn ei ddweud wrth eu hathro. 'A dweud y gwir wrthoch chi Syr, wnaethon ni ofyn i Glyn os oedd chwant sgwrsio a bwyta losin arno fe ond ddwedodd e'n blwmp ac yn blaen fod yn rhaid iddo fynd yn syth i gysgu am eich bod chi wedi dweud. Whare teg iddo fe, ontefe Syr?'

Sythodd cefn Mr Llwyd gyda balchder a theimlodd ei hun yn gwrido ychydig. Roedd Glyn wedi dechrau callio o'r diwedd oedd e? Wel, wel, wel. Dyna beth oedd newyddion da. A hyn oll oherwydd ei dactegau disgyblu ef? Bydd Mr Ifan yn siŵr o fod yn falch o glywed y newyddion. Trodd ar ei sawdl i gyfeiriad y drws.

'Mae'n flin 'da fi darfu arnoch chi fechgyn,' meddai wrth ddiffodd y golau a chydio yn nolen y drws. 'Mae'n amlwg 'mod i wedi gwneud camgymeriad. Nos da i chi.'

A chyda hynny, caeodd y drws. Wrth iddo gerdded ar hyd y coridor yn ôl i'w stafell ei hun, ni chlywodd Mr Llwyd y bechgyn yn piffian chwerthin ymysg ei gilydd wrth feddwl mor rhwydd oedd hi i dwyllo'u hathro hygoelus.

9

Bois y Glas a brecwast

Pan lusgodd Glyn ei hun allan o'i wely am chwarter i chwech y bore canlynol, parhau i chwyrnu'n dawel yn eu gwelyau yr oedd ei dri ffrind. Wrth iddo daflu dŵr oer dros ei wyneb a brwsio'i ddannedd yn gyflym, gwibiodd ei feddwl yn ôl at y noson gynt. Tybed ai breuddwydio'r cyfan a wnaeth?

Wedi iddo wisgo'i jîns a'i grys-T gadawodd yr stafell yn dawel a cherdded i lawr y grisiau i'r llawr gwaelod. Penderfynodd yn erbyn defnyddio'r lifft. Ond wrth gerdded tua'r cyntedd synhwyrodd Glyn fod rhywbeth o'i le. Yn un peth, roedd yna dri heddwas yn sgwrsio gydag Alun Owens, pennaeth y Gwersyll, a dau arall yn sgwrsio gyda Ceredig Cadwaladr. Edrychai hwnnw fel petai heb gysgu winc. Roedd ei lygaid yn drwm a chylchoedd du o'u cwmpas. Troediodd Glyn yn ofalus heibio i'r plismyn gan obeithio y byddai'n gallu cyrraedd y ffreutur heb i neb sylwi arno. Ond nid felly y bu. Wrth gerdded heibio i blismon tal a sgwâr, glaniodd llaw drwm ar ei ysgwydd a chlywodd lais awdurdodol, dwfn yn gofyn: 'Mae hi braidd yn gynnar i ti fod mas o'r gwely nagyw hi?' Trodd Glyn ei ben yn araf i edrych ar y plismon tal.

'Wyt ti wedi bod yn dy wely o gwbl neu wyt ti wedi bod yn sleifio o gwmpas y Gwersyll 'ma drwy'r nos?'

'Newydd godi ydw i nawr,' atebodd Glyn yn onest. 'Dwi'n gorfod helpu paratoi'r brecwast bore 'ma, a glanhau ychydig o gwmpas y Gwersyll hefyd.'

'Felly dwyt ti ddim wedi bod yn sleifio o gwmpas yn ystod yr oriau mân?' holodd y plismon eto.

'Nadw,' atebodd Glyn yn bendant.

'Trueni. Gallet ti fod wedi gweld rhywbeth a allai fod o ddefnydd i ni.'

Wrth i'r plismon ail ddechrau ei sgwrs gydag Alun Owens, aeth Glyn yn ei flaen i'r gegin. Yno, cafodd orchymynion i osod y platiau mewn pentyrrau taclus ger mynedfa'r ffreutur ac i roi trefn ar y cyllyll a ffyrc a'r cwpanau plastig ben pella'r cownter. Ar ôl gorffen gwneud hynny, roedd i fynd i'r Neuadd i frwsio'r llawr yn lân a sychu'r seddau gyda lliain gwlyb. Yn olaf, ei dasg fyddai glanhau gwydr ffenestri bach y drysau a arweiniai at bob coridor i fyny'r grisiau.

Ychydig funudau yn unig a dreuliodd Glyn yn y ffreutur gan nad oedd y tasgau hynny yn rhai anodd iawn. Aeth yn ei flaen i'r Neuadd gan sgubo'r llawr pren yn lân a sychu unrhyw faw â'i liain wrth fynd. Yna daeth un o borthorion y Gwersyll i dynnu'r seddau i gyd er mwyn iddo fedru glanhau y rheini hefyd. Er ei brysurdeb, roedd geiriau'r plismon yn y cyntedd yn troi a throi yn ei ben. Tybed pam roedd e eisiau gwybod lle'r oedd Glyn wedi bod y noson gynt, a pham ddywedodd e 'trueni' pan ddarganfu nad oedd wedi bod yn crwydro coridorau'r Gwersyll? Beth allai e fod wedi gweld a allai fod o bwys i'r heddlu? Ai oherwydd y sgrech yn y seler yr oedd y plismyn yma yn y lle cynta? Ysai i gael dychwelyd i'w stafell er mwyn rhannu'r stori gyda'r lleill. Bydden nhw'n siŵr o fedru ei helpu i wneud synnwyr o bopeth.

O'r diwedd daeth at y sedd olaf yn y rhes gefn a dychwelodd y bwced a'r lliain i'r gegin. Drwy'r ffenestri a wahanai'r ffreutur oddi wrth y cyntedd, sylwodd Glyn fod y plismyn yn dal yno a'u bod yn sgwrsio'n ddwys iawn ymysg ei gilydd o hyd. Doedd dim golwg o Alun Owens erbyn hyn, ac roedd Ceredig Cadwaladr wedi dychwelyd i'w ddesg.

Edrychodd Glyn ar y cloc uwchben y drws a gweld ei bod hi'n saith o'r gloch yn barod. Roedd ganddo awr cyn brecwast i lanhau'r gwydr yn y coridorau felly. Y peth diwethaf roedd e am glywed oedd y merched yn gwneud hwyl am ei ben wrth ddod lawr i'r ffreutur. Penderfynodd gychwyn gyda drws coridor y merched a chyn hir cyrhaeddodd y llawr uchaf – ei goridor yntau. Tra roedd e wrthi yn chwistrellu'r hylif ar y gwydr clywodd ddrysau'r lifft yn agor a Mr Llwyd yn camu drwyddynt.

'Bore da Glyn,' meddai yntau.

'Bore da Mr Llwyd,' atebodd Glyn yn dawel.

'Rwy'n gweld dy fod ti wedi bod yn brysur iawn y bore 'ma.'

'Do.'

'Wyt ti bron â gorffen?'

'Ydw.'

'Da iawn, da iawn,' meddai'r athro gan wthio heibio iddo er mwyn gwneud yn siŵr fod gweddill y bechgyn wedi deffro ac yn barod ar gyfer gweithgareddau'r dydd.

'Mr Llwyd?' holodd Glyn wrth i hwnnw gnocio ar ddrws yr stafell agosaf.

'Ie Glyn?'

'Pam fod yr heddlu yma bore ma? Oes rhywbeth wedi digwydd?'

'Oes, mae'n debyg,' atebodd ei athro yn feddylgar. 'Wnes i ofyn iddyn nhw'n gynharach a'r ateb ges i oedd y byddan nhw'n dweud wrth bawb yn syth ar ôl brecwast.'

Aeth Mr Llwyd yn ei flaen i gnocio ar bob drws yn ei dro ac erbyn iddo gyrraedd yr stafell lle'r oedd Jac, Deian a Rhodri'n cysgu, roedd Glyn wedi gorffen ei waith ac wedi ymuno â nhw. Roedd Rhodri wedi hen ymolchi a gwisgo tra roedd Deian wrthi'n clymu lasys ei dreinyrs, a Jac yn ymolchi'i wyneb gyda dŵr oer er mwyn ei helpu i ddeffro.

'Glyn boi!' poerodd Jac wrth iddo daflu dŵr dros ei wyneb am yr eildro. 'Ddest ti i ben â chodi erbyn chwech 'te?'

Cerddodd Glyn draw at ei wely a thaflu'i hun arno, yn falch o gael gorffwys am ychydig. 'Do! Fe godes i am chwarter i chwech! Dwi ddim yn credu 'mod i erioed wedi codi mor gynnar!'

'Ro'dd y lle 'ma fel y bedd sbo?' holodd Rhodri wrth eistedd gyda Glyn ar ei wely.

'Wel, nac o'dd a dweud y gwir,' atebodd Glyn gan godi ar ei eistedd. 'Pan es i lawr llawr roedd llond y lle o heddlu.'

'Y Glas?' holodd Deian yn syn. 'Beth o'n nhw'n neud 'ma?'

'Wel, sai'n siŵr iawn, ond wnaethon nhw ofyn i fi beth o'dd mla'n da fi neithiwr.'

'Ti ddim yn meddwl mai neud ymholiadau am dy antics di yn codi ofn ar y merched y ma'n nhw?' holodd Jac yn ei gyfer.

'Paid â bod yn hurt achan!' torrodd Deian ar ei draws. 'Fydde hynny'n gwastraffu'u hamser nhw'n llwyr. Mae'n rhaid bod rhywbeth mwy difrifol wedi digwydd. Tua faint ohonyn nhw oedd 'ma 'te Glyn?'

'Pump dwi'n meddwl. Wel, dyna faint o'dd yn y cyntedd ta beth. Falle bod mwy ohonyn nhw mewn rhan arall o'r Gwersyll. Wnes i ddim clywed beth o'n nhw'n ei ddweud. Ond gyda Alun Owens a Ceredig Cadwaladr ro'n nhw'n siarad.'

'Hmm, tybed beth allai fod wedi digwydd?' holodd Rhodri wedyn.

'Clywch bois,' dechreuodd Glyn, 'falle bod Jac yn iawn. Falle bod gan y tric ar y merched rywbeth i'w wneud â pham maen nhw 'ma.'

A dyna pryd ddechreuodd Glyn adrodd holl fanylion y noson gynt wrth ei ffrindiau. Wedi iddo orffen, eisteddodd y pedwar mewn tawelwch llwyr am rai eiliadau.

'Pam nest ti ddim gweud dim am hyn wrthon ni neithwr?' holodd Rhodri o'r diwedd.

'Sai'n siŵr,' atebodd Glyn dawel. 'Falle 'mod i'n dal mewn sioc pan ddes i nôl. Ro'dd sŵn y sgrech yn dal i adleisio drwy 'mhen i tan i fi fynd i gysgu. Ges i ofn go iawn bois, dwi'n dweud wrthoch chi!'

'Wel ma'n amlwg felly pam fod yr heddlu 'ma,' dechreuodd Rhodri. 'Ma' rhywbeth go ddifrifol wedi digwydd 'ma neithiwr, ac rwyt ti Glyn yn dyst i hynny. Beth wyt ti am wneud nawr?'

'Be ti'n feddwl?' holodd Glyn yn ddiniwed.

'Wel, wyt ti'n mynd i weud wrthyn nhw beth ddigwyddodd? Achos os wnei di, ti'n cyfaddef mai ti wnaeth godi ofn ar y merched neithiwr yn dy wisg Phantom. Ar dy ffordd adre y byddi di wedyn, a hynny cyn brecwast hyd yn oed!'

Gadawodd Glyn i eiriau Rhodri suddo i'w ymennydd yn araf bach. Roedd e'n barod wedi ystyried goblygiadau cyfaddef am ei anturiaethau'r noson gynt wrth yr heddlu.

'Na, dwi'n mynd i gadw'n dawel. Ta beth, dy'n ni ddim yn gw'bod yn iawn 'to pam eu bod nhw 'ma yn y lle cynta. Falle bod gan neithiwr ddim byd i'w wneud â'r peth.'

'Chi'n meddwl y cawn ni wbod y stori?' holodd Deian.

'Wedodd Mr Llwyd fod yr heddlu am gael gair â phawb amser brecwast, felly wnewn ni aros tan hynny cyn neud unrhyw benderfyniad. Cytuno?'

'Cytuno,' meddai'r tri arall gyda'i gilydd.

Daeth cnoc arall ar y drws a llais Mr Llwyd yn bloeddio ei bod hi'n amser brecwast.

Arweiniodd Jac y lleill drwy'r drws ac ar hyd y coridor, ac i lawr y grisiau dwy-ris-ar-y-tro, gymaint ei hast i gyrraedd y ffreutur a phryd cynta'r dydd.

Wrth gyrraedd, sylwodd Jac y byddai'n rhaid iddo aros ychydig yn hirach nag arfer am ei frecwast. Roedd rhes hir o blismyn yn sefyll ar hyd y cownter bwyd a gorchmynwyd i'r bechgyn eistedd ger y byrddau cyn dechrau casglu'u bwyd.

'Mae'n ddrwg gen i eich cadw chi fel hyn blant,' dechreuodd yr heddwas gan godi'i het oddi ar ei ben, 'ond ry'n ni'n ymchwilio i ddigwyddiad yn y Ganolfan sy'n golygu y bydd yn rhaid i ni gynnwys gwesteion y Gwersyll hwn yn ein harchwiliadau.'

Edrychodd y bechgyn ar ei gilydd yn syn. Rhedodd ias i lawr cefn Glyn.

'Rywbryd yn ystod yr oriau mân cafodd aelod o'r Theatr Ieuenctid sydd yma'n perfformio'r sioe Ysbryd yr Opera ar hyn o bryd, ei herwgipio. Merch bedair ar bymtheg oed gyda gwallt golau, hir. Fe'i gwelwyd hi ddiwethaf am hanner nos yn mynd i'w stafell wely.

Nawr, does dim sôn amdani'n unman. Dyw hi ddim yn ateb ei ffôn symudol chwaith. Ry'n ni wedi cysylltu â'i theulu a'i ffrindiau i gyd ond does neb wedi clywed gair oddi wrthi. Yn sicr, doedd dim rheswm ganddi ddiflannu. Mae'r cyfan yn ddirgelwch llwyr i ni.'

Oedodd y plismon rai eiliadau er mwyn i'r plant wneud synnwyr o'r wybodaeth. 'Oes gan rywun unrhyw gwestiwn?'

Cododd Glyn ei fraich yn araf er y gwyddai'r ateb i'w gwestiwn cyn hyd yn oed ei ofyn. 'Esgusodwch fi,' meddai, a'i lais braidd yn grynedig, 'beth yw ei henw hi?'

Edrychodd y plismon i lawr ar ei nodiadau cyn codi'i ben unwaith yn rhagor. 'Betsan,' meddai. 'Betsan Roberts.'

10

O'r Stadiwm i'r Senedd

Grŵp tawel iawn o blant a gerddodd ar hyd palmentydd y ddinas ar eu ffordd i Stadiwm y Mileniwm. Er mai'r Stadiwm oedd un o brif atyniadau'r daith i Gaerdydd i'r bechgyn, doedd y gwynt a fu yn eu hwyliau ddim yn chwythu hanner mor gryf wedi newyddion stormus y bore. Bu raid i Mr Llwyd edrych dros ei ysgwydd ar fwy nag un achlysur i weld os oedd y plant yn parhau i'w ddilyn neu beidio. Teimlai fel petai'n cerdded ar ei ben ei hun gan eu bod mor dawel y tu ôl iddo. Rhaid dweud fod y newyddion am yr herwgipio wedi ei synnu ef hefyd. Roedd e wedi hoffi perfformiad Betsan neithiwr, ac ni allai gredu y byddai rhywun yn medru herwgipio merch mor annwyl.

Wrth iddyn nhw droi'r gornel olaf tua'r Stadiwm, meddyliodd Glyn am rywbeth yn sydyn iawn.

'Hei Deian! Cyn i ni adael dywedodd y plismon 'na y bydden nhw angen mynediad i bob stafell er mwyn chwilio am gliwiau.'

'Ym, do . . .' atebodd Deian.

'Wel, dwyt ti ddim yn gweld? Os awn nhw i'n stafell

ni fyddan nhw'n siŵr o ddod o hyd i dy anifail bach anwes di.'

'Mae'n bosib,' dechreuodd Deian, 'ond dwi ddim yn meddwl y gwnan nhw. Dwi'n eitha siŵr ei bod hi'n cysgu'n dawel yn y bag. Dim ond yn ystod y nos mae'n hoffi crafu a chrwydro am wn i.'

Torrodd Rhodri ar ei draws. 'Ond yn waeth na hynny Glyn, beth os ddown nhw o hyd i dy fasg di? Masg y Phantom? Byddan nhw'n siŵr o dy gwestiynu di wedyn.'

Doedd Glyn heb feddwl am hyn cyn nawr.

'Dwi ddim yn credu y byddan nhw'n chwilio tu mewn i gâs gobennydd neb bois! Wedi'r cyfan, dyw Betsan ddim mor fach â hynny!'

Llwyddodd y bechgyn i wenu er gwaetha eu diflastod. Er nad oedden nhw'n adnabod Betsan yn dda, eto i gyd roedd y newyddion yn sioc iddyn nhw. Wedi'r cwbwl pwy ar wyneb y ddaear fyddai eisiau ei herwgipio hi? Ac i beth? Doedd hi heb wneud unrhyw niwed i neb. Doedd dim synnwyr yn y peth o gwbl.

Dilynodd y bechgyn Mr Llwyd i mewn trwy gatiau mawr haearn y Stadiwm ac ar hyd y llwybr llydan yn arwain at yr adeilad anferth. Dyma'r tro cyntaf i'r rhan fwyaf o blant y grŵp fod yno, a chytunodd pawb ei fod yn edrych gymaint yn fwy crand nag ydoedd ar y teledu. Wrth iddyn nhw gerdded tua'r brif fynedfa, dyma ddyn canol oed gydag aeliau mawr gwyn yn dod i'w cyfarfod. Gwenai o glust i glust ac estynnodd ei law at Mr Llwyd.

'Croeso! Croeso!' meddai gan barhau i wenu. 'Croeso i Stadiwm y Mileniwm. Stadiwm gorau Caerdydd. Stadiwm gorau Cymru. Yn wir, dyma i chi stadiwm gorau'r BYD!' Chwarddodd yn uchel wrth weld wynebau pawb yn edrych arno. Neb yn fwy felly na Glyn a Jac.

'Dilynwch fi, dilynwch fi,' meddai eto wrth droi a cherdded yn gefnsyth tuag at un o'r mynedfeydd.

'Wel, na'th rywun godi mas o'i wely yr ochr iawn bore 'ma!' meddai Deian wrth amneidio i gyfeiriad y tywysydd. 'Dw i heb gwrdd â neb mor frwdfrydig a hapus ers sbel!'

'Gewn ni weld am hynny nawr!' atebodd Glyn. 'Rho hanner awr iddo fe yn ein cwmni ni a bydd e'n siŵr o ddiflasu!'

Cyrhaeddodd y grŵp un o ddrysau'r adeilad anferth cyn cerdded ar hyd coridor hir. Wedi dringo ychydig o risiau dyma nhw'n cael eu hunain mewn stafell grand iawn yn llawn byrddau a chadeiriau. O'u hamgylch roedd tua dwsin o staff mewn gwisgoedd du yn gosod cyllyll a ffyrc ar y byrddau ac yn sychu gwydrau nes eu bod yn sgleinio. Safodd y tywysydd yn yr unfan.

'Croeso unwaith yn rhagor. Ro'n i am aros tan i ni gyrraedd yr stafell hon cyn cyflwyno fy hun. Hari ydw i, a dwi'n gweithio fel tywysydd yma yn Stadiwm y

Mileniwm. Wrth gwrs, nid fel tywysydd yn unig ydw i, oherwydd yma, yn y Stadiwm, mae yna nifer helaeth o ddigwyddiadau'n cael eu cynnal. Oes rhywun yn gwybod pa fathau o bethau rwy'n sôn amdanyn nhw?'

Cododd Jac ei law. 'Gêmau rygbi,' meddai' n uchel.

'Da iawn ti,' atebodd Hari, 'rygbi sy'n denu'r nifer fwyaf o ymwelwyr i'r Stadiwm. Mae pêl droed yn reit boblogaidd hefyd. Pan fydd y Stadiwm yn llawn mae'n dal 74,500 o bobl! Beth arall?'

'Rasio ceir?' holodd Llion yn swil.

'Arbennig, arbennig. Rwyt ti'n hollol iawn. Mae'r stadiwm yn cael ei ddefnyddio ar gyfer rasio ceir a rasio motobeics. Beth sy'n hollol wych am y lle 'ma yw eich bod chi'n medru codi'r borfa oddi ar y maes gan adael llawr concrid. Mae'r borfa i gyd ar balets, neu ddarnau o bren sgwâr os hoffech chi, ac mae'n bosib cael gwared arnyn nhw rhag difetha'r glaswellt yn ystod rasys o'r fath.'

'Wnaethon nhw wneud hynny'n ystod y bocsio hefyd, do?' holodd Carwyn. 'Dwi'n cofio Dad yn gweud pan ddath e 'ma i wylio Joe Calzaghe'n ymladd, ro'n nhw wedi mynd â'r glaswellt i gyd i ffwrdd.'

'Mae dy dad yn hollol iawn. Ar gyfer achlysuron fel bocsio, neu gyngherddau megis y Manic Street Preachers, a fu yma ar noswyl y Mileniwm yn 2000, mae'r borfa i gyd yn diflannu ac yn cael ei storio yn ddiogel y tu allan i'r brifddinas.'

Cododd Megan ei braich yn barod i ofyn cwestiwn, 'Esgusodwch fi Syr,' dechreuodd.

'Hari,' torrodd y tywysydd ar ei thraws, 'galwch fi'n Hari – nid Syr, dy'ch chi ddim yn yr ysgol nawr!'

'Sori, ym, Hari,' parhaodd Megan gan esgus edrych yn swil, 'wnes i glywed eu bod nhw hefyd wedi ffilmio rhai o raglenni *Doctor Who* yma.'

'Campus! Campus!' meddai Hari a'i freichiau'n chwifio'n yr awyr. 'Da iawn ti ferch. Dyna'r tro cyntaf i unrhyw un sôn am hynny ers i mi ddechre gweithio 'ma.'

Gwenodd Megan yn falch ac edrychodd i gyfeiriad y bechgyn gyda golwg reit fodlon arni hi ei hun. Rholiodd y bechgyn eu llygaid gan geisio anwybyddu'i hymdrech i'w cynhyrfu. 'Yn wir, mae'r Stadiwm yn cael ei ddefnyddio i ffilmio rhaglenni teledu, a bydd yn chwarae rhan allweddol yng nghystadleuaeth pêl-droed Gêmau Olympaidd 2012. Felly fel y gwelwch chi, stadiwm aml-bwrpas yw Stadiwm y Mileniwm, ac oherwydd hynny, i mi gael dychwelyd at yr hyn yr o'n i'n sôn amdano ynghynt, nid tywys yn unig y bydda i, ond hefyd rwy'n stiward. Ar ddiwrnodau gêmau rygbi neu bêl droed, weithiau bydda i'n gyfrifol am edrych ar ôl y reffarî, neu'r gwesteion sy'n hurio stafelloedd fel hon ar gyfer ciniawa, neu'n tywys y tîmau eu hunain i'w stafelloedd newid. Y peth gorau dwi wedi'i wneud yw tywys tîm pêl-droed Lerpwl i'w stafell newid ac o amglych y Stadiwm nôl yn 2001 pan oedden nhw'n chwarae yn rownd derfynol y Cwpan FA yma.'

Edrychodd y bechgyn yn geg-agored ar Hari. Rhoddodd Glyn bwt i fraich Jac. 'Sdim rhyfedd ei fod e mor hapus! Mae e wedi cwrdd â rhai o enwogion mwyaf y byd chwaraeon!'

'Iawn. Oes mwy o gwestiynau neu ydych chi am gael y cyfle i grwydro o amglych?'

'Ie, grêt. I ble fyddwn ni'n mynd i gyd?' holodd Deian.

'Wel, byddwn ni'n dechrau gyda'r stafelloedd newid, cyn symud ymlaen i'r maes ei hun, yna o amgylch y coridorau ac ati cyn gorffen yn y siop.'

'Gwych!' meddyliodd Deian. Roedd ganddo lond waled o arian ac roedd e'n ysu i brynu crys rygbi newydd Cymru. Roedd ei dad-cu wedi rhoi'r arian iddo cyn iddo ddod ar y trip yn dâl am ei helpu gyda'r anifeiliad ar y fferm byth a beunydd.

Yn ystod yr awr nesaf cafodd y plant gyfle i grwydro o amgylch perfeddion y Stadiwm yng nghwmni Hari Hapus (sef yr enw a roddodd Deian arno). Roedd pawb ar ben eu digon wrth ymweld â'r stafelloedd newid. Roedden nhw mor wahanol i stafelloedd newid eu clwb rygbi lleol meddyliodd Jac, yn enwedig gyda'r holl gawodydd a'r baddonau. Wedi hynny, arweinwyd y criw ar y daith o'r stafelloedd newid, ar hyd y coridor, i'r twnel ac yna i'r maes – yr union daith y byddai enwogion timau gorau'r byd yn ei chymryd. Cerddodd y plant fel petaen nhw mewn breuddwyd tua'r cae gan ryfeddu at faint y Stadiwm, a cheisio dychmygu sut deimlad oedd camu i'r maes a'r seddi i gyd yn llawn. Clywodd Rhodri floedd ddychmygol yn ei fyddaru wrth iddo ddychmygu gweld miloedd ar filoedd o bobl yn chwifio'u breichiau a baneri yn ei groesawu i'r cae. Oherwydd y glaw mân y tu allan a'r angen i baratoi'r cae ar gyfer gêm griced a oedd i'w chynnal yma ymhen wythnos, roedd y to ar gau. Gwnai hyn i'r Stadiwm edrych hyd yn oed yn fwy trawiadol. Yn dilyn chwarter awr arall o gwestiynu ac ateb, roedd hi'n bryd ei throi hi am y siop. Gwariodd y rhan fwyaf o'r plant eu holl arian poced yn prynu nwyddau i goffáu'r ymweliad, a daeth Deian o hyd i grys newydd Cymru a'i ffitiai'n berffaith. Gwisgodd hwnnw amdano gyda balchder gan fynnu ei gadw ymlaen wrth i'r siopwr sganio'r tag am y pris. Cyn gynted ag yr oedd y tu allan i'r siop, rhwygodd y tag i ffwrdd â'i fysedd a phlygu'r siwmper a fu amdano ynghynt yn dwt o dan ei gesail.

Treuliwyd gweddill y bore'n crwydro o gwmpas y Senedd yng nghwmni tywysydd o'r enw Gladys. Er mor grand ac anhygoel oedd yr adeilad newydd hwn hefyd, eto i gyd, y gred gyffredinol ymysg y plant oedd nad oedd e ddim byd tebyg i'r Stadiwm. O ganlyniad, ychydig iawn o ymateb a gafodd Gladys druan wrth geisio cynnal brwdfrydedd y plant yn ystod y daith hanner awr.

Roedd bod nôl yn agos at y Gwersyll wedi atgoffa'r bechgyn am ddiflaniad Betsan. Llusgo'u traed o amgylch y Senedd a wnaeth Glyn, Jac, Deian a Rhodri felly gyda Miss Hwyl yn gorfod eu prysuro er mwyn dal lan gyda gweddill y grŵp. Cyn hir, clywodd y bechgyn Gladys yn diolch iddyn nhw am ymddwyn mor gyfrifol, ac yn dymuno'n dda iddyn nhw ar gyfer gweddill eu harosiad yng Nghaerdydd. Wrth glywed hyn, dechreuodd Jac wthio'i hun tua'r blaen er mwyn bod yn dynn wrth gwt Mr Llwyd ar y daith fer yn ôl i'r gwersyll. Edrychodd y tri arall ar ei gilydd gyda gwên – roedd hi'n amser cinio!

11

Garmon ar goll

Wrth i Jac, Deian a Rhodri eistedd wrth fwrdd ym mhen pella'r ffreutur i fwyta'u cinio, parhau i giwio yn y cefn gyda Mr Llwyd a wnai Glyn. Roedd e wedi gobeithio y byddai ei ymddygiad da yn ystod y bore wedi gwneud i'r athro anghofio am ei gosb, ond yn anffodus iddo ef roedd gan Mr Llwyd gof rhy dda. Unwaith eto, fel neithiwr, cafodd Glyn ei hun yn eistedd yn ymyl ei athro gyda llond plât o fwyd iach.

Tra'n pigo'i fwyd yn freuddwydiol gyda'i fforc clywodd Glyn sŵn llwy yn taro'n erbyn bwrdd yn uchel. Cododd ei ben i weld mai'r un plismon a fu'n siarad y bore hwnnw oedd wrthi'n gofyn am sylw.

'Yn ystod y bore,' dechreuodd yn bwyllog, 'ry'n ni wedi bod â chrib fân drwy holl adeilad Canolfan y Mileniwm gan gynnwys Gwersyll yr Urdd, yn chwilio am unrhyw wybodaeth a all ein harwain at ddarganfod Betsan Roberts.' Edrychodd ar ei lyfr nodiadau gan grafu y tu ôl i'w glust yn araf. 'Yn anffodus, dydyn ni heb ddod o hyd i unrhyw beth hyd yn hyn, ond mae yna un neu ddau beth arall wedi codi sy'n egluro ychydig ar y sefyllfa . . .'

Yn y cyfamser, allan yn y cyntedd, roedd yna dipyn

o ffrae yn codi wrth i un neu ddau heddwas stryffaglu i ddal dyn ifanc yn ei ôl. O'r diwedd torrodd y dyn ifanc yn rhydd o'u gafael gan wthio drws y ffreutur led y pen ar agor a baglu'n bendramwnwgl i'r llawr yn y broses. Wrth iddo godi ar ei draed sylwodd pawb mai Hefin oedd, a golwg wyllt a blinedig ar ei wyneb.

'Odi e'n wir?' holodd i'r heddwas yn flin.

'Hei, dal mewn nawr!' atebodd hwnnw â'i lais yr un mor flin.

'Dwi eisie ateb!' mynnodd Hefin. 'Odi e'n wir?'

'Well i ni drafod hyn rywle arall . . .' dechreuodd y plismon, ond torrodd Hefin ar ei draws gan gamu'n nes ato.

'Na, dwi eisie gw'bod nawr! Odi e'n wir mai Garmon sydd wedi mynd â hi?'

Hoeliodd pawb eu sylw ar y plismon.

'Dy'n ni ddim yn berffaith siŵr . . .' dechreuodd y plismon ateb, ei lais yn wanach nag ydoedd ychydig funudau ynghynt. 'Does dim tystiolaeth gyda ni eto . . .'

'Ond mae Garmon ar goll hefyd nagyw e?' gwaeddodd Hefin â'i wyneb yn cochi wrth yr eiliad.

'Ym . . . ydi, ond dyw hynny ddim o reidrwydd yn meddwl mai fe sydd wedi herwgipio Betsan.'

'Wrth gwrs 'i fod e! Dy'ch chi ddim o ddifri'n meddwl fod Garmon wedi ca'l 'i herwgipio hefyd 'ych chi? Hawyr bach! Mae'r peth yn amlwg! Wnes i weud wrthoch chi'r bore 'ma fod Garmon yn ymddwyn bach yn od o amgylch Betsan. Gofynnwch i'r plant 'ma – allan *nhw* weud wrthoch chi siwt wnath e ymateb ar y llwyfan neithwr. Mae e'n genfigennus ohona i a Betsan. Wastad wedi bod.'

Trodd Hefin ei gefn at y plismon yn araf â dagrau'n cronni'n ei lygaid. Roedd y ffreutur erbyn hyn fel y bedd a phawb yn dal i syllu ar Hefin a'r plismon am-yn-ail.

'Esgusodwch fi!' meddai'r plismon o'r diwedd gan adael y ffreutur a Hefin yn dynn ar ei sodlau.

'Wedes i bo rhwbeth od am y boi Garmon 'na. Cenfigennus oedd e. O'n i'n reit fyd!' meddai Deian yn dawel wrth Jac a Rhodri. Roedd hi'n amlwg ei fod e wedi cynhyrfu.

'Ie ond cofia,' atebodd Rhodri, yr un mor dawel, 'fel wedodd y plismon – do's dim tystiolaeth 'to. Falle'i fod *e* wedi'i herwgipio 'fyd! Ti byth yn gw'bod . . .'

'Paid â bod yn hurt achan!' ymunodd Jac. 'Wrth gwrs mai fe sydd wedi'i herwgipio hi. Fel wedodd Hefin ei hunan, welest ti shwt na'th e ymateb neithiwr. Cenfigennus ma' fe bod Hefin yn mynd mas gyda Betsan, nid fe.'

'Ie dwi'n deall hynny,' atebodd Rhodri, 'ond dyw hynny ddim yn esbonio pam 'i fod e'n 'i herwgipio hi gan ddifetha unrhyw siawns sy 'da fe o ymddangos ar lwyfan Canolfan y Mileniwm 'da hi cyn diwedd y mis. Dyw'r peth ddim yn neud synnwyr o gwbl. Mewn ffordd, mae e wedi difetha'r sioe'n gyfangwbl!'

Bu distawrywdd am rai eiliadau wrth i Jac a Deian gnoi cul ar yr hyn a ddywedodd Rhodri. Oedd, roedd rhyw synnwyr yn yr hyn roedd e'n ei ddweud, fel arfer! Ond doedd rhywbeth ddim cweit yn iawn . . .

Wrth i'w ffrindiau bendroni ynghylch y dirgelwch, cnoi ei ffordd drwy blataid o foron, bresych a thatws yr oedd Glyn. Gwnaeth Mr Llwyd yn siŵr nad sglodion na chŵn poeth fyddai'n addurno'i blât heddiw eto. Am ddiflas! Ond er i Glyn brotestio'n uchel wrth ei athro, roedd Mr Llwyd yn gwbl bendant mai'r ffordd i wella ymddygiad Glyn oedd wrth roi deiet gytbwys, iach iddo.

'Gyda llaw, Glyn,' dechreuodd Mr Llwyd wrth roi ei gyllell a fforc i lawr yn drefnus ar y plât gwag o'i flaen, 'dwyt ti ddim i fwyta unrhyw losin yn ystod gweddill y daith yma. O sylwi ar ffordd wnest di ymddwyn y bore ma – yn dda iawn chwarae teg i ti – mae'n amlwg fod y bwydydd iach yma yn cytuno gyda ti, ac yn gwneud lles. Bydd hynny'n siŵr o neud 'y mywyd i dipyn yn haws, cred ti fi! Mi fydda i hefyd yn awgrymu hyn wrth dy fam pan gyrhaeddwn ni adre.'

Syllodd Glyn ar ei athro a'i ên bron â chyffwrdd â'r llawr. Doedd e ddim o ddifri doedd bosib? Fyddai ei fam ddim yn ei rwystro rhag bwyta losin, doedd bosib? Gobeithio'n wir na fyddai. Ond wedyn, roedd hi wedi cytuno i adael iddo godi am 6 o'r gloch i lanhau'r Gwersyll . . .

Erbyn i bawb orffen eu cinio roedd hi'n ddau o'r

gloch. Gyda'r daith ar y bws to agored yn cychwyn am hanner awr wedi, roedd gan bawb ugain munud i'w sbario. Penderfynodd y bechgyn fynd i'w stafell yn gyntaf, er mwyn cael cyfle i sgwrsio â Glyn heb i Mr Llwyd fod o fewn clyw, ac yn ail, er mwyn sicrhau fod Mrs Llwyd heb ei darganfod gan yr heddlu. Â'r drws wedi'i gau'n glep, dechreuodd y trafod.

'Ydw i'n iawn i ddweud ei fod e a Garmon yn mynd i'r un Brifysgol yn Llundain? Dyna dd'wedodd e neithiwr ondyfe?' holodd Glyn wrth bwyso'n ôl ar obennydd ei wely, yn falch o gael gwared ar Mr Llwyd am dipyn.

'Ie, dyna wedodd e . . . a'u bod nhw'n rhannu car i deithio nôl a mlân i ymarfer,' ychwanegodd Rhodri.

'Ma'n rhaid 'u bod nhw'n eitha agos 'te. Chi'n gw'bod – yn tipyn o ffrindie.'

'Wel siŵr o fod. Er, do'dd Hefin ddim yn swnio'n gyfeillgar iawn gynne fach. Bydde fe siŵr o fod yn tagu Garmon tase fe'n cwrdd ag e nawr! A fydden i ddim yn 'i feio fe chwaith!'

'Deian, be sy'n bod? Ma golwg ofidus arnot ti achan!' meddai Jac wrth sylwi ar ei ffrind yn twrio'i wely.

'Mrs Llwyd . . .' dechreuodd Deian, 'dyw hi ddim 'ma. Dyw hi ddim yn y bag lle adewais i hi, nac yn urhywle arall chwaith . . . Helpwch fi bois!'

Aeth y pedwar ati o ddifri i chwilio am y lygoden fach lwyd ymhob cwr o'r stafell. Ond doedd dim sôn amdani'n unman. Eisteddodd y pedwar unwaith yn rhagor ar eu gwelyau. Neb yn yngan gair.

'O wel,' ochneidiodd Deian, 'wela i ddim o honna 'to! Mae hi wedi hen ddiflannu sbo. Sdim dowt iddi gynhyrfu pan glywodd hi'r plismyn yn chwilio drwy'r stafell.'

'Ddown ni o hyd iddi eto Dei, gei di weld!' ceisiodd Rhodri ei gysuro er y gwyddai Rhodri ei hun fod y posibilrwydd o weld Mrs Llwyd eto yn fach iawn, yn llai tebygol na dod o hyd i Betsan hyd yn oed. Edrychodd ar ei oriawr. Chwarter wedi dau. 'Hei bois, well i ni feddwl am fynd lawr llawr, neu fyddwn ni'n hwyr.'

Ond, er gwaetha'r brys, bachodd Glyn ei gyfle i gynnig winc fach slei i gyfeiriad Jac.

12

Y bws to agored

'A dyma nhw o'r diwedd!' ebychodd Mr Llwyd wrth weld y pedwar yn cerdded tua'r lolfa. 'Brysiwch fechgyn neu fyddwn ni'n hwyr! Reit, dyma'r drefn. Ry'n ni'n cyfarfod y bws tu allan i brif fynedfa Canolfan y Mileniwm. Dwi am i bawb gerdded yn drefnus, ac unwaith y byddwch chi wedi cael sedd, dwi am i chi eistedd ynddi a pheidio symud! Wedi'r cwbwl, 'dyn ni ddim eisiau unrhyw ddamweiniau! Deall?'

Nodiodd pawb eu pennau mewn cytgord yn ôl yr arfer yn dilyn un o bregethau Mr Llwyd.

'Glyn, eistedd di'n fy ymyl i. Jac, Deian, Rhodri – cadwch chi'n ddigon pell oddi wrthon ni!'

Edrychodd y pedwar ffrind ar ei gilydd yn syn. Pam eu bod nhw wastad yn cael eu drwgdybio? Doedd neb arall byth yn cael yr un driniaeth â nhw!

Cerddodd pawb mewn rhes sengl, syth allan o brif fynedfa'r Gwersyll ac ar hyd y palmant o amgylch y Ganolfan tua'r man aros. Ymhen rhyw bum munud cyrhaeddodd y bws a rasiodd y plant i geisio cael sedd ar y top. Llwyddodd y bechgyn i gyrraedd y cefn cyn y merched. Buan y dechreuodd y cweryla.

'Ond *ni* sydd i fod yn y cefn!' protestiodd Megan â'i llais yr un mor wichlyd ag arfer. '*Ni* enillodd y bowlio deg y llynedd, a *ni* sydd i fod yng nghefn y bws ar *bob* taith!'

'Pob taith y mae'r *ysgol* yn ei threfnu,' atebodd Jac hi'n gyflym. 'Nid bws ysgol yw hwn! Bws ar gyfer y cyhoedd yw e. Felly cer â dy ffrindiau bach pathetig mla'n i eistedd yn y ffrynt, mas o'r ffordd!' gorffennodd Jac yn gas.

Edrychodd Megan arno, ei thymer yn berwi y tu mewn iddi.

'Aros di Jac!' meddai â golwg slei ar ei hwyneb diniwed. 'Ti fydd yn eistedd yn y ffrynt gyda Mr Llwyd, nid fi!'

A chyda hynny, dyma Megan yn dechrau gorfodi'i hunan i grio o flaen y bechgyn, nes bod y dagrau yn powlio lawr ei bochau. Edrychodd Jac arni'n hurt.

'Beth ar wyneb y ddaear wyt ti'n neud?' holodd, ond roedd Rhodri wedi gweld drwy'r cynllun yn barod.

'O diar!' meddai'n dawel.

Rhedodd Megan i lawr yr eil tua'r blaen gan grio'n uchel: 'Mr Llwyd, mae Jac wedi 'nghicio i!'

'Beth?' holodd Mr Llwyd gan godi ar ei draed yn gyflym. 'Wedi dy gicio di? Yn ble?'

'Yng nghefn y bws Mr Llwyd!' sniffiodd Megan.

'Nage nage,' parhaodd Mr Llwyd, 'ymhle ar dy gorff di y ciciodd e di?'

'O! Ar 'y nghoes i, Syr.' Plygodd Megan ac esgus cosi gwaelod ei choes. Tra oedd Mr Llwyd yn edrych i gyfeiriad cefn y bws yn chwilio am Jac, trodd Megan ei phen i edrych draw ar Glyn a eisteddai yn ymyl Mr Llwyd, gan wenu'n sbeitlyd arno. Edrychodd Glyn yn ôl yn gwbl ddiniwed arni. Doedd dim a wnai Megan yn ei synnu mwyach. Hi oedd y ferch fwyaf anhygoel o dan dîn roedd e erioed wedi ei hadnabod. Siglodd ei ben yn araf cyn troi i ffwrdd ac edrych allan drwy'r ffenest flaen.

'Jac! Wnest di gicio Megan yn ei choes?' arthiodd Mr Llwyd yn grac wrth gyrraedd cefn y bws.

'Naddo, Syr! Wir i chi, Syr. Mae'n dweud celwydd fel arfer!' protestiodd Jac gyda golwg ddiniwed iawn ar ei wyneb.

'Pwy wyt ti'n meddwl dwi'n debygol o'u credu Jac? Megan, sy'n rhoi o'u gorau i'w gwaith bob amser, sy'n gwrando ar gyfarwyddiadau ac yn ufuddhau i orchmynion, neu ti, un sydd wastad mewn trwbwl, wastad yn gwneud yn gwbl groes i beth dwi'n ei ddweud, ac yn bennaf oll, sy'n ffrind i'r Glyn dychrynllyd 'co?!'

'Ymmm . . . fi?' mentrodd Jac, gyda golwg obeithiol iawn ar ei wyneb.

'Nage wir! Megan wrth gwrs! Nawr, well i ti a dy griw ddod i eistedd yn y blaen gyda ni er mwyn i fi allu cadw llygad arnoch chi. Gadewch i'r merched eistedd yn y cefn.'

Tynnodd Jac anadl hir. Teimlai'n grac fod Megan wedi cael y gorau arnyn nhw unwaith eto. Wrth iddo gerdded tua'r blaen gyda Deian a Rhodri yn ei ddilyn, pasiodd Megan nhw gyda'r un wên sbeitlyd yn dal ar ei hwyneb.

'Ni'n mynd i'ch chwalu chi yn y gêm bowlio deg heno,' meddai Jac yn benderfynol.

'Gawn ni weld am hynny!' atebodd Megan, gan dynnu wyneb bygythiol arno.

Wedi i bawb gymryd sedd dechreuodd y bws ar ei thaith. Yn gyntaf teithiodd ar hyd y Bae ac yna heibio i ddau stadiwm newydd y ddinas – Stadiwm Athletau Caerdydd a Stadiwm Dinas Caerdydd, sef cartref tîmau pêl-droed a rygbi'r ddinas. O'r fan hynny, teithiodd y bws ymlaen tua chanol y ddinas, heibio i Stadiwm y Mileniwm, y castell enfawr ac yna tuag at Amgueddfa Genedlaethol Caerdydd. Ond, gyda thua ugain munud yn weddill o'r daith, dechreuodd hi arllwys y glaw. Dyna pryd y dechreuodd sgrechfeydd annifyr ddod o gefn y bws wrth i'r glaw gynyddu fesul eiliad. Tro Jac oedd hi i wenu'n sbeitlyd nawr! Drwy gael eu gorfodi i eistedd gyda Mr Llwyd yn y blaen, roedd y bechgyn yn cael eu cysgodi rhag y glaw gan do bach uwch eu pennau. Roedd y merched, ar y llaw arall, yn gwbl agored i'r elfennau, a gyda'r gwynt yn dechrau codi a neb wedi meddwl dod â'u cotiau glaw gyda nhw, roedd y merched yn wlyb at y croen ymhen dim.

'Sori am dy gicio di Megan!' gwaeddodd Jac yn sbeitlyd tua'r cefn.

Gwgodd Megan yn ôl arno. Gwgodd y merched eraill arni hi hefyd. Oni bai am gelwydd Megan, fydden nhw ddim yn eistedd yn y cefn. Ac oherwydd ei chelwydd hi, roedden nhw'n wlyb diferu! Plethodd ei breichiau'n grac wrth wrando ar y merched yn ei thwt-twtian. Doedd wyneb Jac yn syllu'n foddhaus arni ddim yn helpu chwaith.

Erbyn hyn, roedd y bws wedi cyrraedd y ffordd ddeuol a oedd yn arwain yn ôl tua'r Bae o ochr ddwyreiniol y ddinas. Roedd ysblander Canolfan y Mileniwm i'w weld unwaith yn rhagor wrth i'r bws stopio i'w gollwng gerllaw. Diolchodd y plant i gyd i'r gyrrwr cyn creu rhes syth arall y tu ôl i Mr Llwyd ar y palmant.

Er mawr syndod i bawb, wrth gerdded yn ôl tua'r Gwersyll, cyhoeddodd Mr Llwyd fod rhyddid iddyn nhw chwarae am ryw hanner awr yn Rhodfa Roald Dahl, sef ardal awyr agored y tu allan i Ganolfan y Mileniwm. Doedd hyn ddim wrth fodd y merched a oedd yn awyddus i ddychwelyd i'w stafelloedd er mwyn cael newid allan o'u dillad gwlyb. Ond mynnodd Mr Llwyd fod pawb yn aros gyda'i gilydd. A chan fod y glaw wedi peidio a'r haul yn ceisio gwenu arnyn nhw o'r tu ôl i'r cymylau, bydden nhw'n siŵr o sychu o fewn dim. Mwynhaodd y bechgyn eu hanner awr o ryddid gan dreulio'r amser yn chwarae a rhedeg o amgylch yr ardal fel ffyliaid! Aeth y merched i eistedd gyda'i gilydd ar y stepiau i bwdu. Am unwaith roedd y bechgyn wedi cael y gorau arnyn nhw.

'Paid â becso Megan,' cysurodd Lowri ei ffrind. 'Cawn ni ddial ar y bechgyn heno fel y gwnaethon ni yn y gêm llynedd . . .'

Edrychodd Megan allan i gyfeiriad y Bae â'i meddwl ymhell. Doedd hi heb feddwl am unrhyw dric eto ond . . .

13

Bowlio deg tan un ar ddeg

Am wyth o'r gloch union y noson honno cerddodd criw o blant nerfus iawn i mewn i'r ganolfan bowlio deg enfawr ar draws y ffordd i Ganolfan y Mileniwm. Cerddai'r bechgyn tu ôl i Mr Llwyd, tra cherddai'r merched y tu ôl i Miss Hwyl. Hon oedd y noson a fyddai'n penderfynu pwy fyddai'n hawlio sedd gefn y bws ar bob taith yn ystod y flwyddyn nesaf.

Ar ôl ciwio ger y brif fynedfa am esgidiau addas, aeth y plant i gyd draw i lonydd 1–7 a oedd wedi'u cadw ar eu cyfer nhw. Dewisodd y merched lonydd 1, 2 a 3 tra hawliodd y bechgyn lonydd 4, 5 a 6. Roedd lôn 7 felly'n wag, am y tro. Wrth i'r plant deipio'u henwau i mewn i'r periannau soffistigedig, modern, hwyliodd Ceredig Cadwaladr i mewn i'r adeilad gan gymryd ei le yn lôn rhif 7.

'Oes rhywun yn chwarae fan hyn?' holodd.

'Na, dwi ddim yn meddwl,' atebodd Miss Hwyl â'i bochau'n dechrau cochi.

'Mae hynny'n newyddion da, i *ni*,' meddai Ceredig gan daflu winc at Miss Hwyl. 'Cyfle i ni gael gêm. Nawr, beth yw d'enw cyntaf di i fi gael 'i deipio e

mewn i'r cyfrifiadur? Na! Paid â dweud wrtha i . . .
gad i fi ddyfalu . . . ym . . . 'Llawn'? Ydw i'n gywir?'

'Llawn?' meddai Miss Hwyl yn ddryslyd.

'Ie! Llawn Hwyl,' meddai Ceredig gan wenu. 'Neu
'Loto Hwyl neu . . .'

'O dwi'n gweld!' meddai hithau'n sydyn. 'Ti'n
'neud "hwyl" am ben f'enw i!'

'Na dim o gwbl, trio bod yn ffeind o'n i . . .'
stopiodd Ceredig siarad yn sydyn. Sylweddolodd fod
Miss Hwyl yn tynnu ei goes *e* nawr.

'O reit! Ti sy'n ennill. Wna i roi "Miss H" lawr am
nawr, ond erbyn diwedd y noson, fydda i am wybod
dy enw cyntaf di!'

Pwniodd Glyn Jac yn ysgafn yn ei ochr. 'Ma' nhw
wrthi 'to!' meddai'n dawel. 'Fflyrtan! Ma'n nhw'n
wath nawr na beth o'n nhw fore ddo' yn y dderbynfa.'

'Mae'n gwneud i fi deimlo'n dost!' meddai Jac gan
rolio'i lygaid.

'Beth yw enw cyntaf Miss Hwyl 'ta beth?' ymyrrodd
Deian. 'O's rhywun yn gw'bod?'

'Dim syniad,' atebodd Rhodri, a siglodd Glyn a Jac
eu pennau hefyd.

Edrychodd y pedwar ffrind i fyny ar sgrîn lôn 7 gan
weld 'Miss H' a 'Mr C' ar y rhestr chwaraewyr.

'Trist iawn!' meddai Glyn braidd yn rhy uchel
oherwydd yr eiliad nesaf roedd Ceredig yn edrych
draw ato â'i aeliau wedi'u codi.

'Problem fechgyn?' holodd yn uchel. Cododd Miss
Hwyl ei braich i wneud yn fach o'r sefyllfa.

'Dim ond Glyn!' meddai'n gyflym. 'Mae e wastad
yn chwarae'r ffŵl. Glyn – chwarae dy gêm dy hunan
nawr a phaid â busnesu!'

Parhaodd Ceredig i syllu draw i gyfeiriad Glyn am
rai eiliadau cyn troi ei sylw unwaith yn rhagor at Miss
Hwyl gan chwerthin a fflyrtian yn waeth nag erioed.
Roedden nhw hyd yn oed wedi tynnu sylw Mr Llwyd
a hwyliodd hwnnw draw i weld beth oedd yn mynd
ymlaen.

'Popeth yn iawn Miss Hwyl?' holodd gan gadw
llygad ar Ceredig Cadwaladr.

'Ydi, popeth yn grêt diolch, Mr Llwyd. Meddwl
cael gêm fach i basio'r amser, 'na i gyd. Oes chwant
arnoch chi ymuno, Mr Llwyd? Dy'n ni heb ddechrau
bowlio eto.'

Neidiodd llygaid Mr Llwyd o wyneb Miss Hwyl i
wyneb Ceredig a phenderfynodd beidio ag amharu ar
eu gêm. Wel, gêm Ceredig o leiaf. Dychwelodd i
oruchwylio'r plant yn chwarae wrth iddyn nhw
ymarfer ar gyfer gêm fawr y noson.

Fel arfer, byddai'r plant i gyd yn chwarae gêm i
ymarfer ac i ennill sgôr iddyn nhw'u hunain. Yna, ar
ddiwedd yr ymarfer, byddai'r chwech uchaf eu
marciau'n chwarae yn uchafbwynt y noson – y
bechgyn yn erbyn y merched.

'Ai chi a Miss Hwyl fydd capteniaid y tîmau eleni

eto?' holodd Jac wrth Mr Llwyd ar ôl cymryd ei dro ac ennill hanner streic.

'Mae Miss Hwyl a minnau wedi penderfynu,' pesychodd Mr Llwyd, 'na fyddwn ni'n chwarae eleni. Ar ôl siom y llynedd, dwi ddim yn credu wna i chwarae fyth eto!'

Cerddodd eu hathro ymaith â'i drwyn yn yr awyr. Gwenodd y bechgyn ar ei gilydd. Roedd gobaith iddyn nhw ennill felly!

Hedfanodd yr awr nesaf heibio wrth i'r bechgyn ymarfer ac arbrofi eu technegau bowlio. Yn ystod y cyfnod hwnnw, cafwyd tua hanner dwsin o streiciau a thros ugain hanner streic rhyngddyn nhw – sgoriau da iawn ar y cyfan. Parhaodd y fflyrtian ar y lôn nesaf atyn nhw, er gwaethaf ambell i bwl o chwerthin amlwg gan y bechgyn. Cynhyrfwyd Ceredig hyd yn oed yn fwy gyda phob pwl, a bu raid i Miss Hwyl ei dawelu sawl gwaith. Roedd y bechgyn, ar y llaw arall, yn cael mwy o hwyl yn weindio Ceredig i fyny nag oedden nhw wrth fowlio. O'r diwedd daeth yr amser i bawb fowlio'r bêl olaf cyn i'w sgoriau gael eu cyfrif. Roedd Rhodri wedi rhoi'r gorau iddi'n barod am fod ei sgôr ymhell ar ei hôl hi. Roedd Deian a Glyn, ar y llaw arall, yn chwarae'n dda ac yn dibynnu llawer ar eu peli olaf, tra oedd Jac yn bendant yn nhîm y bechgyn. Eisteddodd Rhodri yn ei ôl gan sylwi am y tro cyntaf ar faint y lle. Roedd yno ugain lôn fowlio a phob un ohonyn nhw'n llawn! Roedd yno gêmau arcêd hefyd, yn ogystal â chaffi bychan yn gwerthu popcorn a diodydd amrywiol. Penderfynodd y byddai diod oer yn mynd lawr yn dda!

Cerddodd draw tua'r cownter gan estyn arian o'i boced yn barod. Wrth iddo ofyn i'r dyn am ddiod oer mawr, sylwodd ar rywun yn sefyll y tu ôl iddo.

'Haia Rhodri!' meddai llais cyfarwydd. Trodd Rhodri i edrych ar Bethan yn sefyll yno'n gwenu arno.

'Haia, ti'n iawn?' holodd Rhodri gan wenu nôl arni. Roedd Rhodri a Bethan yn dipyn o ffrindiau ac er yr holl anghydweld rhwng y bechgyn a'r merched yn yr ysgol, byddai Rhodri a Bethan bob amser yn gweld llygad yn lygad.

'Shwt wnest di?' holodd Rhodri gan nodio i gyfeiriad y lonydd.

'Be? Y bowlio? O ddim yn rhy dda!' atebodd Bethan yn siriol.

'Wel, mae'n neis dy weld di'n dal i wenu 'ta beth!' meddai Rhodri eto. 'A'th pethe ddim yn rhy dda 'da finne chwaith. Gwarthus a gweud y gwir!'

'O wel, sdim ots. O leia allwn ni osgoi tricie twyllodrus Megan a Glyn wedyn!'

'Ti'n iawn! Er dwi ddim yn credu fod unrhyw dric gyda Glyn i'w chwarae. Beth am Megan?'

'Dwi ddim yn siŵr, dyw hi ddim wedi sôn 'ta beth.'

Pan orffennodd y bechgyn oedd ar ôl fowlio, sylwodd Glyn fod Rhodri wedi dianc. Edrychodd o gwmpas yr adeilad cyn i'w lygaid orffwys ar y pâr yn y caffi.

'Halelwia!' meddai gan chwibanu'n isel. 'Oes raid i bawb fflyrtio 'ma heno? Ydi hi'n noson Santes Dwynwen neu rywbeth?'

Dilynodd llygaid Jac a Deian fys Glyn tua'r caffi. 'O gad llonydd iddyn nhw!' meddai Deian yn ddi-lol. 'Fel'na ma' nhw. Wastad wedi bod!'

'Ga i'ch sylw chi i gyd os gwelwch yn dda?' holodd Mr Llwyd wrth gamu i ganol ardal bowlio lôn 4 er mwyn i bawb fedru ei weld. 'Rwy wedi casglu sgoriau pawb erbyn hyn ac ma'r cyfrifiadur wedi penderfynu ar y canlynol ar gyfer y gêm fawr. Tîm y merched: Carys, Lowri, Glesni, Megan, Mabli ac Alaw. Tîm y bechgyn: Jac, Glyn, Llion, Carwyn, Deian a Daniel. Dewch i'r canol felly os gwelwch yn dda. Lôn 4. A rhowch eich henwau yn y peiriant yn y drefn bowlio.'

Chwyddo fel ton wnaeth y cynnwrf a'r nerfusrwydd ymysg y gynulleidfa wrth i'r ddau dîm drefnu'u hunain yn barod ar gyfer y gêm fawr. Doedd neb yn falchach na Deian o fod wedi ennill ei le yn y tîm, yn enwedig ar ôl iddo fethu â gwneud hynny y llynedd. Rhuthrodd at y periant i deipio ei enw gyntaf. Dilynodd y gweddill ef a chyn hir roedd y bowlwyr cyntaf wedi llwyddo i gael streic yr un. Roedd yna bwysau enfawr ar bawb felly. Ond doedd Miss Hwyl na Ceredig Cadwaladr ddim yn talu llawer o sylw i'r gystadleuaeth fodd bynnag gan barhau i chwarae eu gêm eu hunain a chwerthin yn uchel ar ben jôcs ei gilydd. Bu raid i Mr Llwyd edrych draw a gwgu'n awgrymog arnyn nhw fwy nag unwaith, er na wnaeth hynny'r un mymryn o wahaniaeth.

'Dere mla'n Jac, dy bêl ola di,' clapiodd Glyn ei ffrind ar ei gefn gan sylweddoli fod y bêl olaf o eiddo pawb yn y gystadleuaeth yn bwysig iawn – fel y llynedd. Plygodd Glyn yn agosach at glust Jac gan sibrwd: 'Ond cofia, ma' *Plan B* gyda ni os eith rhywbeth o'i le!'

Trodd Jac i edrych ar Glyn gan roi winc sydyn arno. Byddai'n bosib gweithredu *Plan B* ar unrhyw eiliad, pe bai angen. Ar ôl bowlio'i bêl olaf gan lwyddo i sgorio dim ond saith, rhoddodd Jac ei law ym mhoced fewn ei siaced er mwyn sicrhau fod *Plan B* yn dal yn fyw ac iach!

Cymerodd pawb eu tro i fowlio'u peli olaf.

Wedi i Megan gamu 'mlaen a chydio yn y bêl felen, trodd i wynebu'r sgitls. Ar yr un pryd, teimlodd Jac yn gwthio heibio iddi i gydio mewn pêl las yn barod ar gyfer ymgais Glyn. Cerddodd Megan yn ofalus tua'r pren sgleiniog yn barod i hyrddio'r bêl yn syth i lawr yr eil. Yna'n sydyn, teimlodd rywbeth yn cerdded ar hyd ei hochr, dros ei hysgwydd ac i lawr ei braich tuag at y bêl. Tybiodd mai rhyw fath o gosi oedd arni am eiliad. Yna, trodd ei phen a gweld llygoden fach lwyd (un hynod o debyg i'r un a welodd ar y bws) yn rhedeg ar hyd ei braich ac yn sefyll ar y bêl.

'Hei! Edrych ar y lygoden yna!' chwarddodd Glyn yn uchel. 'Mae'n meddwl 'i bod hi wedi darganfod darn enfawr o gaws! Pêl fawr felen â thylle ynddi – mae'n edrych yn union fel y darn mawr 'na o gaws roddodd Mr Llwyd i fi i swper neithwr!'

Erbyn hyn, roedd Megan wedi hen daflu'r bêl o'i gafael ac yn sgrechian ac yn sgipio o gwmpas yr eil gan geisio edrych dros ei hysgwydd i chwilio am fwy o lygod. Yn yr holl anhrefn, rhedodd Mrs Llwyd fach yn ôl o dan seddi'r bowlwyr gan ddod o hyd i sawr cyfarwydd iddi – Deian. Ar ôl treulio cymaint o amser yn ei fag, roedd sawr Deian yn rhywbeth cartrefol iawn iddi. Heb i neb sylwi, plygodd Deian i gydio yn ei anifail anwes cyn ei gosod yn ddiogel ym mhoced ei siaced unwaith eto. Sylweddolodd hefyd nad dianc a wnaeth Mrs Llwyd, ond cael ei dwyn! Jac o bawb!

Doedd hi'n fawr o ryfedd felly mai'r bechgyn a enillodd y gêm y noson honno, gyda chwe phwynt o fantais.

'Ac felly,' meddai Mr Llwyd gan geisio tawelu'r criw, 'am y flwyddyn nesaf, y bechgyn fydd yn eistedd yn sedd gefn y bws. Sori ferched! Cewch gyfle i dalu'r pwyth yn ôl y flwyddyn nesa!

Ond doedd hynny'n fawr o gysur iddyn nhw.

'Reit 'te bawb,' meddai Mr Llwyd unwaith eto, 'gwrandewch os gwelwch yn dda. Mae'n un ar ddeg o'r gloch nawr a dwi eisiau cyrraedd nôl yn y Gwersyll erbyn deng munud wedi ac i chi fod yn eich gwelyau erbyn ugain munud wedi. Bydd angen diffodd y golau am hanner awr wedi un ar ddeg!'

Dechreuodd pawb ei ddilyn nôl tua'r Gwersyll i gyfeiliant llafarganu uchel y bechgyn. Ond roedd gan Deian asgwrn i'w grafu gyda Glyn a Jac.

'Pam wnaethoch chi ddwyn Mrs Llwyd o 'mag i bois? A pheidio â sôn gair am y peth! Chi'n wa'th na'r merched am chware tricie!' cwynodd gan fwytho'r belen o ffwr ym mhoced ei siaced.

'Dere mla'n Deian. Ti'n hoff o ambell dric dy hunan. Ond fyddet ti ddim yn fodlon i ni ddefnyddio Mrs Llwyd ar gyfer chwarae'r tric 'na ar Megan heno, felly fe benderfynon ni gadw'r cwbl yn gyfrinach,' meddai Glyn yn siarp. 'Ta beth, mae hi nôl 'da ti'n saff nawr, felly ma' popeth yn iawn.'

Edrychodd Deian ar Glyn, ac yna Jac. 'Chi'n gw'bod be dw i newydd gofio?' meddai.

'Na,' atebodd Glyn a Jac gyda'i gilydd.

'Ma' her 'da fi i'w gosod i Jac o hyd . . . ac mae'n mynd i fod ganwaith yn waeth nawr . . .'

14

Rhannu cyfrinach

Erbyn i'r bechgyn gyrraedd nôl yn y Gwersyll, roedden nhw wedi llwyr ymgolli yn eu dathliadau. Roedden nhw'n dawnsio a chanu'n uchel fel petaen nhw wedi yfed llawer gormod o ddiodydd ffisi! Ond, unwaith y cyrhaeddodd pawb y dderbynfa, sobrwyd nhw'n syth. Yno, yn eu disgwyl, roedd plismon. Arweinwyd nhw i gyd i mewn i Neuadd yr Urdd ar y llawr cyntaf er mwyn eu diweddaru ynglŷn â sefyllfa Betsan.

'Noswaith dda i chi blant, ac athrawon.' Edrychodd o'i gwmpas. Roedd golwg flinedig iawn ar ei wyneb erbyn hyn. 'Yn anffodus, does dim byd newydd gyda fi i'w ddweud wrthoch chi. Mae Betsan Roberts yn dal ar goll, a does dim sôn o Garmon Lewis yn unman. Ry'n ni'n amau erbyn hyn mai fe sydd wedi ei herwgipio hi. Ry'n ni wedi cysylltu gydag awdurdodau eraill drwy Brydain ac mae pawb wrthi'n ddiwyd yn chwilio am wybodaeth er mwyn dod o hyd i'r ddau. Unwaith eto felly, ry'n ni'n ymbil arnoch chi i rannu unrhyw wybodaeth sydd gyda chi. Os wnaethoch chi sylwi ar unrhyw beth neithiwr neu os sylwch chi ar unrhyw beth yn ystod eich harhosiad yma, mae'n bwysig eich bod yn rhoi gwybod i ni'n syth. Bydd heddwas yn y dderbynfa drwy gydol y nos a thrwy'r bore yfory. Fyddwn ni'n falch i glywed *unrhyw beth*, waeth pa mor bitw. Wir. Nos da i chi gyd. A pheidiwch ag ofni, ry'ch chi i gyd yn gwbl saff yma'n y Gwersyll.'

Gyda hynny o eiriau cerddodd y plismon a'i ddau heddwas allan o'r neuadd ymgynnull gan adael yr athrawon i anfon y plant i'w stafelloedd am y noson.

'Glyn! Glywest ti be' wedodd y plismon, mae'n RHAID i ti weud am yr hyn ddigwyddodd neithiwr. Betsan oedd y ferch glywest ti'n sgrechian, yn bendant, a ma' hi siŵr o fod yn dal lawr yn y seler 'na gyda Garmon y funud 'ma!' Roedd Rhodri wedi cynhyrfu gymaint nes iddo godi'i lais ychydig yn rhy uchel gan wneud i'r plant eraill o'u hamgylch edrych arno mewn syndod. 'Naill ai wyt ti'n mynd i weud wrth yr heddlu Glyn, neu fe wna i.'

'Hei, wow wow wow! Gad hi nawr Rhodri. Wna *i* weud wrthyn nhw. Ond ddim eto. Clyw! 'Dyma be' wna i: dwi am weud y cwbl wrth Miss Hwyl. Fe fydd hi'n gw'bod beth i'w neud. Wel, bydd gwell syniad 'da hi na Mr Llwyd 'ta beth!'

'Ti'n addo gweud wrthi heno?'

'Ydw, ydw, weda i wrthi heno. A gweud y gwir, ai i ddweud wrthi nawr!'

Cerddodd Glyn yn syth ar draws y neuadd gan wthio'i ffordd heibio i'r plant eraill er mwyn cyrraedd Miss Hwyl. Roedd hi a Ceredig Cadwaladr yn chwerthin yn uchel wrth rannu jôc.

'Hei, Miss! Ym, sori, esgusodwch fi, Miss, ym allai ga'l gair . . . gair preifat plîs?'

Edrychodd Miss Hwyl arno'n ofalus. Roedd hi'n nabod Glyn yn reit dda erbyn hyn ac roedd hi'n amlwg fod rhywbeth o'i le.

'Iawn, Glyn. Ym, beth am i fi ddod lan i dy stafell di ymhen rhyw chwarter awr? Wyt ti'n hapus i siarad 'da fi o flaen y bechgyn eraill neu wyt ti am i ni gwrdd ar ein penne'n hunain?'

'Fydd gyda'r bechgyn erill yn iawn, Miss. Diolch, Miss. Wela i chi wedyn.'

Ail ymunodd Glyn â'r lleill ac aethant i fyny'r grisiau ac i'w stafell unwaith yn eto. Aeth Deian yn syth i'w fag i weld os oedd Mrs Llwyd wedi dychwelyd i'w nyth, ond doedd dim sôn amdani'n unman. Taflodd Jac winc slei i gyfeiriad Glyn. Erbyn i Miss Hwyl gyrraedd chwarter awr yn ddiweddarach, roedd y bechgyn wedi ymolchi, brwsio'u dannedd, gwisgo'u dillad nos ac wrthi'n setlo i mewn i'w gwelyau am y tro olaf yn ystod eu hymweliad â Gwersyll yr Urdd Caerdydd.

Eisteddodd Miss Hwyl ar gadair yn ymyl y drws gan adael i olau'r nenfwd lenwi'r stafell â golau. 'Shw'mae fechgyn? Ydych chi'n mwynhau eich hamser yma yng Nghaerdydd mor belled?' holodd gyda'i llais ysgafn.

'Ydyn, Miss!' atebodd y bechgyn gyda'i gilydd. Parhaodd Jac i siarad. 'O'dd y Stadiwm yn wych Miss

– dwi erioed wedi bod 'na o'r blaen. Dim ond 'i weld e ar y teledu. Ond o'dd e gymaint yn well bod yna go iawn.'

Gwenodd Miss Hwyl arno. 'Ti'n iawn Jac. Mae'n rhaid i fi gyfaddef, mi wnaeth godi chwant arna i i ddod lawr i wylio rhyw gêm yma cyn hir.'

'Allwch chi ddod lawr i weld eich *sboner* newydd yr un pryd wedyn, Miss!' ychwanegodd Glyn. Gwridodd Miss Hwyl. 'Beth ti'n feddwl?'

'O dewch mla'n, Miss,' ymyrrodd Jac, 'ry'n ni gyd yn gw'bod eich bod chi'n ffansïo Ceredig Cadwaladr. Welon ni'r ffordd roeddech chi'n fflyrtio yn y bowlio deg heno!'

'Ro'ch chi'n fflyrtio y diwrnod cynta y cyrrhaeddoch chi 'ma, cofio? Pan ro'n i'n sefyll y tu ôl i chi yn y cyntedd a chi'n gorfod rhoi allweddi'r car iddo.'

Gwridodd Miss Hwyl hyd yn oed yn fwy. 'Dyw hyn yn ddim o'ch busnes chi fechgyn!' meddai, gan geisio swnio'n flin. Ond er gwaetha ei hymdrech, ni allai. Roedd Miss Hwyl yn athrawes llawer rhy annwyl i hynny.

'Ta beth, Glyn,' ceisiodd hithau newid testun y siarad, 'roeddet ti am ddweud rhywbeth wrtha i?'

Tro Glyn oedd hi i wrido nawr.

'Ym, o'n Miss. Wel, chi'n cofio neithiwr, pan wna'th y merched ffŷs fod rhywun yn gwisgo masg Phantom i godi ofn arnyn nhw tu fas i'w stafell wely?'

Nodiodd Miss Hwyl ei phen yn araf. Roedd hi'n gallu dyfalu beth oedd yn dod nesaf.

'Wel . . .' parhaodd Glyn, cyn tynnu masg y Phantom allan yn araf o dan ei obennydd a'i ddangos i Miss Hwyl, '. . . fi oedd e!'

Edrychodd hithau arno'n siomedig. 'Glyn! Glyn!' meddai. 'Rwyt ti wedi fy siomi i, er, dwyt ti ddim yn fy synnu i chwaith. Wnes i feddwl y byddet ti â dy fys yn y cawl yn rhywle.'

'Wel, bai Deian oedd y cwbwl, Miss . . .' dechreuodd Glyn, a oedd yn casáu siomi ei hoff athrawes.

'Hei, dal mewn nawr!' torrodd Deian ar ei draws yn syth. 'Es i ddim cam mas o'r stafell 'ma. Ti gollodd yr her, ti a'th draw i goridor y merched. Paid â llusgo fi mewn i hyn i gyd!'

Ceisiodd Rhodri gadw trefn ar ei ffrindiau. 'Peidiwch â chw'mpo mas nawr bois, wir!' meddai gan godi'i lais fymryn i hoelio'u sylw. 'Nawr 'te, Glyn, beth am i ti ddweud *gweddill* y stori? Dwi'n credu 'i bod hi'n well i ti weud y cwbl wrth Miss Hwyl. Ti'n gw'bod . . .'

Cododd Glyn ar ei eistedd yn y gwely.

'Wel, ar ôl i fi godi ofn ar y merched, wnes i redeg lawr y coridor ac i mewn i'r lifft. Ro'n i ar gymaint o hast i ddianc, nes i wasgu'r botwm i fynd lawr sawl gwaith, a phan aeth y lifft lawr, aeth e lawr yr holl ffordd! I mewn i grombil yr adeilad. Lawr i'r seler neu rywle . . . a'r peth nesa . . . pan agorodd y drws . . .

ro'dd pobman yn dywyll fel bol buwch. Ro'dd tamprwydd ar y waliau . . . ac arogl ddiflas yn yr aer. Yna, daeth sgrech. Sgrech hir, oeraidd. Neidies i nôl mewn i'r lifft a dianc cyn i beth bynnag oedd lawr 'na 'y nal i. Cyn hir, ro'n i nôl yn y gwely, a'r sgrech yn dal i fyddaru 'nghlustie i. Ges i ofn, Miss. Wir i chi!'

Edrychodd Miss Hwyl arno'n ofalus. Dyna beth oedd stori! Trueni nad oedd Glyn mor fyw ei ddychymyg pan oedd gofyn iddo ysgrifennu stori yn yr ysgol!

'Glyn. Dwi'n credu falle fod yr holl helynt 'ma am ddiflaniad Betsan wedi chware ar dy feddylie di. Ti'n siŵr nad breuddwydio'r cyfan wnest di?'

'Na, wir i chi, Miss. 'Na beth ddigwyddodd,' protestiodd yntau.

'Rhodri, na'th e weud beth oedd wedi digwydd pan ddaeth e nôl i'r stafell?' holodd Miss Hwyl.

'Naddo Miss,' atebodd Rhodri'n syth. 'Na'th e weud wrthon ni bore 'ma.'

'Mae'n rhaid taw breuddwydio'r holl beth wnest ti 'te Glyn,' meddai Miss Hwyl yn bendant. 'Neu fyddet ti wedi gweud wrth dy ffrindie'n syth ar ôl dod nôl i'r stafell 'ma.'

'NA! Wir i chi, Miss. Ro'n i'n rhy ofnus i weud dim wrth y bois neithwr. Wnes i benderfynu gweud wrthoch chi, yn hytrach na Mr Llwyd heno, achos ro'n i'n meddwl y byddech chi'n barod i wrando arna i ac yn 'y 'nghredu i!' Roedd Glyn wir wedi siomi gydag ymateb Miss Hwyl. 'Falle'ch bod chi wedi'ch siomi â'm hymddygiad i gyda'r masg Miss, ond dw i hefyd wedi fy siomi gyda *chi* am beidio â nghredu i!' Doedd Glyn ddim yn pwdu'n aml iawn.

Cododd Miss Hwyl ei haeliau. 'Wel, ma'n flin da fi Glyn. Ond ma' dy stori di braidd yn od, yn 'dyw hi? Ond, fe ddweda i wrth y plismyn 'ta beth, ac fe gân nhw wneud beth bynnag maen nhw eisie â'r wybodaeth.'

Nodiodd Glyn ei ben a ffarweliodd Miss Hwyl â nhw. ''Ych chi am i fi ddiffodd y golau fechgyn?'

'Allwch chi 'i ddiffodd e, Miss,' atebodd Rhodri. 'Ry'n ni'n gadael y llenni ar agor. Ma digon o ole'n dod o'r stryd y tu allan.'

'Iawn. Nos da fechgyn.'

'Nos da, Miss.'

Wrth iddi gau'r drws ar ei hôl, gwenodd Miss Hwyl wrth feddwl am y fath ddychymyg oedd gan Glyn. Gwenodd hefyd wrth feddwl amdano'n crwydro'r coridorau yn ei fasg Phantom! Dim ond fe fyddai'n gallu gwneud y fath beth!

'Am beth wyt ti'n gwenu gwed?' holodd llais cyfarwydd wrthi.

Edrychodd Miss Hwyl i'w gyfeiriad. Gwelodd Ceredig yn cerdded tuag ati a chwpan te yn ei law.

'O! Dim. Jyst gwenu am beth wedodd un o'r bois wrtha i.'

'Wyt ti'n mynd lawr i'r stafell staff am baned?'

holodd Ceredig gan ddal ei baned i fyny a'i throi wyneb i waered i ddangos ei bod yn wag. 'Ma' angen *refill* arna i!' Dechreuodd y ddau gerdded tua'r grisiau, yna safodd Miss Hwyl yn sydyn. 'Aros eiliad,' meddai 'gawn ni fynd lawr yn y lifft?'

Edrychodd Ceredig yn od arni. 'Cawn . . . os wyt ti eisie!'

Trodd y ddau ar eu sawdl. Drwy lwc, roedd y lifft yno'n aros amdanyn nhw a'r ddau ddrws led y pen ar agor. Camodd y ddau i mewn a phlygodd Ceredig i wasgu'r botwm i fynd lawr.

'Oes ots 'da ti os wna i wthio'r botwm?' holodd Miss Hwyl ar frys. Edrychodd Ceredig hyd yn oed yn fwy od arni. 'Cei . . . os wyt ti eisie!'

Camodd Miss Hwyl ymlaen a gwasgodd y botwm yn gyflym ac yn gyson am rai eiliadau, cyn sefyll yn ymyl Ceredig unwaith eto. Roedd yntau erbyn hyn yn edrych yn hollol hurt arni, fel petai ganddi ddau ben!

'Sori!' ymddiheurodd Miss Hwyl, gan weld yr olwg ryfedd ar ei wyneb. 'Ro'n i'n moyn profi rhywbeth wna'th Glyn ddweud wrtha i gynne fach.'

'Glyn?' holodd Ceredig mewn penbleth.

'Ie, Glyn. Mae e newydd ddweud ryw stori hurt wrtha i amdano fe'n mynd lawr yn y lifft 'ma neithiwr i grombil y ddaear a chlywed rhywun yn sgrechen ac yn y blaen, ac yn y blaen . . !'

Chwerthin yn nerfus wnaeth Ceredig. 'Dwyt ti ddim yn ei gredu fe does bosib?'

'Wel, na'dw, wrth reswm! Wedi breuddwydo ma fe, mae'n amlwg, a chyda'r holl helynt 'ma am Betsan mae e wedi drysu druan, ac yn meddwl . . .' Stopiodd Miss Hwyl siarad yn sydyn. Doedd rhywbeth ddim cweit yn iawn. Roedd y lifft yn parhau i ddisgyn, er mai dim ond i lawr un llawr oedd angen iddyn nhw deithio.

'Hmm. Dyna ryfedd!' meddai gan droi i edrych ar Ceredig. 'Mae'r lifft yn dal i fynd lawr!'

Edrychodd hwnnw yn ôl arni, a golwg ddryslyd iawn ar ei wyneb. 'Ti'n iawn. A . . . mae'n oeri. Beth sy'n digwydd?'

'Mae'n rhaid fod stori Glyn yn wir 'te!' meddai Miss Hwyl, gan deimlo'n grac iawn â hi'i hun am beidio â'i gredu. O'r diwedd agorodd drysau'r lifft i ddatgelu'r hyn oedd yn ymddangos fel seler dywyll, laith. Doedd dim modd gweld llawer yng ngolau gwan y lifft, ond gallai Miss Hwyl weld digon i brofi mai lle dirgel, rhyfedd oedd hwn. Trodd ei golygon yn sydyn tua'r botymau er mwyn medru dianc yn ôl i'r Gwersyll uwchben. 'Mae'n rhaid i ni fynd i ddweud wrth yr heddlu'n syth!' meddai gyda phanic yn ei llais.

Ond cyn iddi gael cyfle i wasgu'r botwm, chwalodd Ceredig y cwpan te gwag dros ei phen nes iddi ddisgyn yn swp ar y llawr.

Safodd yn ei hymyl am rai eiliadau yn gwenu wrth wylio'r gwaed yn cronni'n bwll ar ganol llawr y lifft.

15

Tri mewn trybini

Pan agorodd Miss Hwyl ei llygaid yn araf ryw chwarter awr yn ddiweddarach, y peth cyntaf a welodd oedd llygaid ofnus Betsan a Garmon yn edrych yn ôl arni. Mewn fflach, daeth popeth yn glir iddi. Stori Glyn. Y lifft. Ceredig Cadwaladr. *Fe* oedd y tu ôl i hyn i gyd. Ond pam? A ble roedd e nawr?

Eisteddai'r tri yn erbyn wal galed gyda dim ond cannwyll yn goleuo'r gornel unig. Fel Betsan a Garmon, roedd ganddi hithau gadach wedi'i glymu am ei cheg. Ceisiodd symud ei breichiau i dynnu'r cadach drewllyd yn rhydd ond roedd rhaff gref yn ei dal yn dynn, yn ogystal â rhaff arall am ei choesau. Roedd y cur yn ei phen yn ofnadwy, a gallai deimlo gwaed sych yn ei gwallt ac ar gefn ei gwddf.

Yn sydyn, sylwodd Miss Hwyl ar lygaid Betsan yn agor yn fawr ac yn ofnus. Clywodd 'ping' y lifft. Gwyddai fod Ceredig wedi dod yn ei ôl, wrth i'w gamau bras atseinio ar hyd concrid caled y llawr.

'Wel, wel, wel. Wedi deffro o'r diwedd! A finne'n meddwl y bydde'n rhaid i fi ffonio'r trefnwyr angladde! Ti wedi colli tipyn o waed ti'n gw'bod. Ges i dipyn o waith ei lanhau e oddi ar lawr y lifft.

Dy'n ni ddim eisie i'r heddlu ddarganfod unrhyw beth, 'yn ni? Ddim tra'u bod nhw'n rhedeg o amgylch y wlad yn chwilio amdanoch chi a chithe yma, reit o dan 'u trwyne nhw!'

Chwarddodd Ceredig yn uchel.

'Ry'ch chi siŵr o fod yn meddwl "pam mae e wedi'n herwgipio ni? Beth y'n ni wedi'i wneud o'i le?" Wel, yr ateb i hynny yw . . . dim!'

Edrychodd y tri carcharor yn ddryslyd ar ei gilydd.

Camodd Ceredig yn nes tuag atyn nhw ac estynnodd stôl deircoes fechan iddo'i hun, gan eistedd rhyw fetr oddi wrth y tri arall.

'Nid am eich cosbi chi odw i, ond cosbi'r tipyn Theatr Ieuenctid yr Urdd 'na. Nhw sydd ar fai am hyn i gyd. Nhw 'nath 'y nhrin i fel baw! Y tacle! Nes i fynd i'r clyweliad 'na ar gyfer *Ysbryd yr Opera* – ti'n cofio Garmon? O'n i'n eistedd yn y stafell aros gyda ti. O'n i'n ishe rhan Eric 'fyd. Fel ti. Ond O! Do'n i ddim yn mynd i Brifysgol fel *ti*. Dyn ifanc cyffredin o'n i tra bo chi i gyd yn mynd i 'golegau drama'. Do'n i ddim yn ddigon da iddyn nhw. Ond . . . maen nhw'n difaru. Do's dim actorion gyda nhw nawr i barhau â'r sioe. Tasen nhw wedi 'newis i yna bydde popeth yn iawn. Ond na! Do'n i ddim yn ddigon da!'

Cododd yn sydyn gan gicio'r stôl yn yfflon yn erbyn y wal. Agorodd y tri arall eu llygaid yn fawr gan ofn wrth wylio Ceredig yn colli'i dymer yn llwyr. Rhedodd ei fysedd yn wyllt drwy'i wallt a siarad yn isel wrtho'i hun. Crwydrai nôl a mlaen yn cicio darnau mân y stôl yma a thraw. 'Ac roedd popeth yn mynd yn grêt nes i TI ddifetha popeth!' gwaeddodd yn sydyn gan droi i edrych yn syth i lygaid Miss Hwyl. 'Ti â dy fusnes! Unwaith y sylwan nhw dy fod ti ar goll bydd e Glyn yn siŵr o agor ei hen geg fawr wrth yr heddlu am y lifft.'

Yn sydyn, gwylltiodd Ceredig a daeth golwg bryderus iawn dros ei wyneb, fel petai newydd sylweddoli am y tro cyntaf y gallai'r heddlu'i ddarganfod yn y seler.

'Mae'n rhaid i ni adael,' meddai'n sydyn. 'Gadael, neu fyddan nhw'n siŵr o ddarganfod y gwir. Alla i ddim gadel i hynny ddigwydd. Ddim ar ôl y ffordd ges i 'nhrin. 'Y ngwrthod! 'Y ngwrthod i!'

Erbyn hyn roedd Ceredig yn cerdded o gwmpas y seler eto ac yn siarad ag ef ei hun yn fwy na neb arall. Sylweddolodd Miss Hwyl ei fod e wedi llwyr golli arno'i hun erbyn hyn, a'i bod hi a'r ddau arall mewn perygl mawr os na allen nhw ddianc cyn hir. Meddyliodd tybed os oedd yna ffordd arall allan o'r seler, neu ai'r lifft oedd yr unig ffordd? Os felly, roedd yna blismon yn nerbynfa'r Gwersyll a byddai'n anodd iawn mynd heibio i hwnnw heb iddo sylwi. Cododd hynny ei chalon fymryn. Ond chwalwyd ei gobeithion gan frawddeg nesaf Ceredig.

'Reit! Dwi'n mynd i ddelio â Mr Heddwas sy'n

gwarchod y dderbynfa. Fydda i ddim yn hir. Rhaid i ni ddianc!'

A chyda hynny, diflannodd unwaith eto i'r tywyllwch gan adael y tri arall yn gwbl fud.

* * *

'Pssst! Glyn!'

'Ie?'

'Ti'n cysgu?'

'Be *ti'n* meddwl?'

'Sai'n siŵr. Wyt ti?'

'Wel alla i ddim bod yn cysgu os odw i'n siarad â ti, y twpsyn!'

'Digon teg!'

'Beth wyt ti moyn, Jac?'

'Wel, meddwl o'n i – mae'n od fod y plismon 'na heb ddod i siarad â ti heno. Os 'nath Miss Hwyl weud wrtho fe be' wedest ti wrthi hi, yna bydde fe'n saff o fod eisie siarad â ti cyn gynted â phosib.'

'Dwi ddim yn meddwl fod Miss Hwyl yn dy gredu di Glyn,' ychwanegodd Deian. 'A sai'n credu 'i bod hi wedi gweud dim wrth y plismon 'na chwaith. Ac os yw hi, 'dyw'r plismon ddim yn 'i chredu hi, neu fydde fe wedi dod i siarad â ti. Fel wedodd Jac.'

Roedd Rhodri nawr yn effro i'r sgwrs hefyd: 'A dweud y gwir wrthot ti Glyn, dwi ddim cweit mor siŵr os ydw *i'n* dy gredu di! Wedi'r cwbl, ti'n un da am 'mestyn stori fel arfer!'

Neidiodd Glyn allan o'i wely mewn tymer. 'Beth? Dwyt *ti* ddim yn 'y nghredu i Rhodri? Ti'n un o'n ffrindie gore i achan!'

'O dere mla'n Glyn. Ti'n cofio'r amser 'na wedest ti wrthon ni fod dy dad di wedi ennill y loteri?'

'Ond mi 'nath e ennill y loteri!' protestiodd Glyn.

'Do. Pum punt ar *scratchcard!* Ddim cweit *y loteri* odi e Glyn?'

Plygodd Glyn ei ben i edrych ar ei draed noeth. Roedd gan Rhodri bwynt. Roedd e *yn* dweud ambell i gelwydd nawr ac yn y man, ac roedd e'n cael ei gosbi am hynny heno. Nawr ei fod e *yn* dweud y gwir, doedd neb yn ei gredu. Ddim hyd yn oed ei ffrindiau agosaf.

'Reit! Dewch mla'n! Codwch!' mynnodd Glyn gan estyn ei jîns a'i grys-T oddi ar gefn y gadair.

'Codi? Pam?' holodd Deian gan deimlo'r golau'n llosgi'i lygaid wrth i Glyn bwyso'r swits.

'Os nad y'ch chi'n 'y nghredu i – wna i brofi fod y seler 'na'n bodoli. Fyddwn ni ddim yn hir nawr! Pum munud a fyddwn ni nôl yn ein gwelye'n saff!'

'Pum munud?'

'Pum munud – dwi'n addo!'

Cododd ei dri ffrind a gwisgo cyn rhuthro drwy'r drws ar hyd y coridor tua'r lifft. Pwysodd Glyn y botwm ond ddigwyddodd ddim byd. Arhosodd y bechgyn am dipyn eto gan barhau i ddisgwyl. Ond yn ofer. Gwasgodd Glyn y botwm eto, ond dim.

'Hei bois, dwi'n mynd nôl i'r gwely. Mae'n amlwg nad yw'r lifft yn gweithio,' meddai Jac gan droi am nôl.

'Aros eiliad, Jac. Falle bod rhywun arall yn 'i ddefnyddio,' awgrymodd Glyn gan wasgu'r botwm am y trydydd tro. Buan y dechreuodd yntau ddigalonni. Roedd ar fin dweud fod yn well iddyn nhw ddychwelyd i'w gwelyau pan glywodd symudiad o grombil y lifft yn dynodi ei fod ar ei ffordd i fyny i'w casglu o'r diwedd.

'Reit, dyma ni bois. Gadewch i fi wasgu'r botwm unwaith ry'n ni i mewn yn y lifft. Dwi ond yn gobeithio y bydd e'n 'neud yr un peth ag y gwna'th e neithiwr.'

Cyrhaeddodd y lifft. Agorodd y drysau a chamodd y bechgyn i mewn. Safodd Glyn yn ymyl panel y botymau a'i law yn chwysu. Gweddïodd y byddai'n gallu gwasgu'r botwm fel y gwnaeth y noson gynt er mwyn profi i'r bechgyn nad oedd e'n dweud celwyddau.

'Dere mla'n Glyn!' cwynodd Deian. 'Wedest di mai pum munud fydden ni, ac ma' tair o'r rheini wedi mynd yn barod!'

'Olreit, olreit! Dal dy wynt!'

Plygodd yn agosach at y botwm ac i ffwrdd ag ef. Gwasgodd y botwm yn gyflym fel y gwnaeth o'r blaen a theimlodd y bechgyn y lifft yn dechrau symud.

Rholiodd Deian ei lygaid gan feddwl mai gwastraff amser llwyr oedd y fath ymarfer. Fodd bynnag, wrth i'r lifft barhau i ddisgyn a disgyn i grombil y ddaear newidiodd yr wg ar ei wyneb i olwg o ryfeddod.

Wedi cyrraedd y gwaelod o'r diwedd, agorodd y drysau i ddatgelu'r hyn oedd yn edrych fel cannwyll wan yn goleuo un gornel o'r seler i'r ochr dde o'r lifft.

'Wel, mam fach!' meddai Jac gan gamu allan yn geg-agored. Er cymaint o ffrind oedd i Glyn, roedd e hefyd wedi amau ei stori. Tan nawr.

'Helô?' gwaeddodd Glyn, cyn clywed ei lais yn adleisio o amglych y seler fawr, wag. Cerddodd y pedwar yn bwyllog draw tua'r gannwyll. Yno, roedd darnau o bren yn llanast ar hyd y llawr. Yn y golau gwan, tybiodd Rhodri iddo weld rhywbeth yn disgleirio wrth ei draed. Plygodd i geisio cyffwrdd â'r hyn a welai cyn codi eto a dal ei law i fyny yn y golau gwan. Pan welodd Rhodri'r hylif coch, trwchus yn diferu dros ei fysedd, gallai deimlo'r blew ar gefn ei wddf yn anesmwytho. Gwaed. Dangosodd i'r gweddill. 'Dwi'n credu ei bod hi'n well i ni adael bois, a mynd i chwilio'r plismon 'na. Glou!'

'Os mai gwaed Betsan yw hwnna, mae e'n dal yn wlyb. Felly, mae'n rhaid mai newydd adael y mae hi,' awgrymodd Jac.

'Glou!' gwaeddodd Glyn.

Rhedodd y bechgyn yn ôl i'r lifft a dringo i'r llawr cyntaf gan rasio drwy'r drysau tua chownter y

118

dderbynfa. Roedd pobman fel y bedd. Doedd dim sôn o'r heddwas yn unman. Wrth gylchdroi'n ddiamynedd o gwmpas y lle, daliodd rhywbeth lygad Deian gan wneud iddo sefyll yn stond.

'Hei bois!' meddai, gyda'i lais yn mynnu ymateb. 'Beth sy'n digwydd fan'na?'

Ymunodd y tri arall gydag ef gan edrych trwy ddrws y brif fynedfa. Yno, tu allan i'r Gwersyll gallent weld corff merch ifanc yn cael ei hyrddio i mewn i fws mini'r Gwersyll. Ac o dan olau diogelwch cryf adeilad y Senedd, gallai'r bechgyn weld mai Ceredig oedd yn cau'r drws yn glep cyn dringo i sedd y gyrrwr. Roedd golwg ryfedd iawn ar ei wyneb.

'Glou! Mae'n rhaid i ni neud rhywbeth!' poerodd Jac heb dynnu'i lygaid oddi ar y bws mini. Mewn amrantiad rhedodd Glyn tua'r cownter gan neidio drosto a rhuthro i mewn i swyddfa'r dderbynfa. Cyn i'r lleill sylweddoli beth oedd yn digwydd, roedd Glyn wedi neidio nôl dros y cownter ac allweddi car Miss Hwyl yn hongian rhwng ei fysedd. 'Deian,' meddai, 'ti'n gallu gyrru yn dwyt ti?'

16

O gêr i gêr ...

Edrychodd Deian ar ei ffrind yn syn.

'Wel, ydw,' meddai'n araf, 'dwi'n gallu gyrru tractor, a motobeic pedair olwyn, ond dwi erioed wedi gyrru *car*!'

'Wel 'ma dy gyfle di,' atebodd Glyn gan daflu'r allweddi ato. 'Erbyn i ni ffonio'r heddlu, fyddan nhw wedi hen ddiflannu. Rhaid i ni ddilyn y bws mini 'na. Nawr!'

'Ond beth am Miss Hwyl? Eith hi'n grac ofnadw pan glywith hi 'mod i wedi gyrru'i char hi!' cwynodd Deian.

'Wnewn ni ddim dweud wrthi mai ti yrrodd! Nawr dere!' mynnodd Glyn eto.

Rhedodd y pedwar bachgen trwy ddrysau'r Gwersyll ac anelu'n syth at gar Miss Hwyl ar draws y ffordd. Wrth groesi'r ffordd gul sylwodd Deian fod y bws mini eisoes wedi mynd trwy rwystr diogelwch y Senedd a'i fod bellach yn aros mewn goleuadau traffig yr ochr draw.

'Dewch mla'n bois! Siapwch hi!' gwaeddodd Deian, gan deimlo'i nerfau'n ei bigo drosto i gyd. Neidiodd y pedwar i mewn i'r car – Deian a Glyn yn y blaen a Jac a Rhodri yn y cefn.

'Rhowch eich gwregysau mla'n bois,' meddai Deian wrth danio'r injan a refio'r car yn uchel. 'Ma' da fi deimlad fod hon yn mynd i fod yn reid a hanner!'

Sgrialodd y car ar hyd y lôn gul tua'r rhwystr gan lwyddo i ddal y golau gwyrdd mewn pryd.

'Co nhw fan draw!' gwaeddodd Glyn gan bwyntio'i fys at olau cerbyd a oedd erbyn hyn wedi llwyddo i agor bwlch sylweddol rhyngddo â nhw.

'Rho dy dro'd lawr Deian!' gwaeddodd Jac o'r cefn. 'Ma' hyd yn o'd Mam-gu'n gallu dreifo'n ffastach na ti achan!'

'Cau dy geg Jac!' arthiodd Deian o'r sedd flaen. 'Dwi'n neud 'y ngore. Dwi erio'd wedi newid gêr o'r blaen.'

'Dwi'n gallu clywed 'ny!' atebodd Jac â'i ddwylo dros ei glustiau. 'Mae'r injan ma'n mynd i chwythu os na wnei di newid i *second* glou!'

'Jyst gwasga'r *clutch* mewn a symuda'r gêrstic nôl!' ychwanegodd Glyn gan wneud y stumiau gyda'i droed a'i law er mwyn dangos i Deian.

'Ie, ie! Dwi'n gw'bod beth sy' *angen* 'i 'neud. Ond 'i *neud* e yw'r broblem!'

Gyda hynny, tynnodd Deian anadl ddwfn cyn tynnu'i droed dde oddi ar y sbardun, gwasgu'r *clutch* â'i droed chwith, a thynnu'r gêrstic yn ôl. Gollyngodd y *clutch* unwaith yn rhagor a gwasgu'i droed dde ar y sbardun nes iddo gyffwrdd â'r gwaelod. Tasgodd y car yn ei flaen.

'Wooohoooooooo!' gwaeddodd Glyn gan daro'i law ar y dash o'i flaen. 'Ni'n hedfan nawr! Dere mla'n Deian boi – *third* sy' nesa!'

'Aros eiliad,' meddai Rhodri o'r cefn. 'Ma' cylchfan fan hyn. I ble aethon nhw?'

'I'r chwith! I'r chwith!' gwaeddodd Jac. Llywiodd Deian y car i'r chwith gan gadw i ganol y lôn. 'Ac wedyn syth mla'n, ac wedyn i'r dde. 'Co nhw draw fan'na!'

Roedd y bws mini'n gadael y trydydd cylchfan gan ddilyn yr arwyddion i ganol y ddinas. Newidodd Deian gêr unwaith eto wrth i'r car bach gyflymu fesul eiliad.

'Hei bois, dwi'n cofio'r ffordd 'ma!' meddai Glyn yn gynhyrfus. 'Fuon ni ar yr hewl 'ma heddi ar y bws to agored. Ffordd ddeuol yw hi, yn arwain tua chanol y ddinas. Dere mla'n Deian, *top gear* amdani.'

Edrychodd Deian draw ar ei ffrind gan wenu. 'Dal sownd!' meddai. Gwasgodd y sbardun hyd y bôn a newid gêr ddwywaith er mwyn cyrraedd y pumed. Cyn hir roedd y car bach yn llyncu'r hewl a'r bechgyn yn cyrraedd cyflymdra o 60 milltir yr awr. Hyd yn hyn, roedd y lonydd wedi bod yn dawel ond nawr roedden nhw'n dal i fyny â dwy lori fawr.

'Pasa nhw!' gwaeddodd Jac a thynnodd Deian allan i'r lôn bellaf gan hedfan heibio i'r loris. Cyrhaeddodd y pin 70 milltir yr awr. Roedd y bws mini o fewn eu cyrraedd nawr yn bendant!

'Golau coch!' sgrechiodd Rhodri wrth sylwi fod yna oleuadau traffig o'u blaenau ar gyffordd brysur yr olwg. Dechreuodd y bws arafu gan aros yn y lôn chwith tra bod Deian yn parhau i rasio yn y lôn dde. 'Deian! Gwasga'r brêcs!'

Gwasgodd Deian y brêcs yn galed gan achosi i'r car sgrialu'n swnllyd wrth iddyn nhw arafu o 70 milltir yr awr i sero o fewn ychydig fetrau'n unig. Safodd y car yn ei unfan y tu ôl i linell wen y gyffordd, ochr yn ochr â'r bws mini. Sychodd Deian ei dalcen â llewys ei grys.

'Dyna nhw! Dyna nhw!' gwaeddodd Jac gan wthio'i drwyn yn erbyn ffenest y drws yn ei ymyl. Gallai weld Ceredig yn pwyso ymlaen yn eiddgar gan daro'i gledrau ar yr olwyn lywio yn awchu ar i'r goleuadau droi. Eisteddai Betsan ar y sedd y tu ôl iddo â rhwymyn wedi'i glymu am ei cheg.

'Jac! Dy her di!' cyhoeddodd Deian.

'Beth?!' atebodd Jac yn syn.

'Dy her di! Dw i'n dal heb osod un i ti. Wel dyma hi. Fflasha dy ben ôl yn erbyn y ffenest 'na!'

'Beth?'

'Glywest di fi'n iawn! Dere ml'an, hanner eiliad a bydd dy her di ar ben. Rhwydd!'

'Ma' dy heriau di Deian yn ofnadw!' meddai Jac gan stryffaglu i sefyll ar y sedd.

'Cana'r corn,' meddai Glyn yn sydyn, gan estyn ei law draw at yr olwyn a gwasgu'r botwm yn ei ganol. Bîîîp bîîîp! Trodd Ceredig ei ben i weld beth oedd ffys y gyrrwr yn ei ymyl ac agorodd ei lygaid led y pen pan sylwodd ar Glyn yn eistedd yn y sedd flaen yn codi dwrn arno a Deian yn ei ymyl tu ôl i'r olwyn yn canu'r corn yn ddi-stop. Yn y sedd gefn, gallai weld Rhodri'n sticio'i dafod mas arno, a phen ôl rhywun arall wedi'i wasgu'n fflat yn erbyn y gwydr.

'Plant digywilydd!' gwaeddodd dros y lle gan refio'i injan yn uwch.

'Hei bois, edrychwch yn y cefn!' gwaeddodd Jac yn sydyn. 'Miss Hwyl yw honna!'

'O na!' ochneidiodd Deian. 'Ma' hi'n mynd i w'bod nawr taw *fi* wna'th yrru'i char hi!'

'Dwi'n credu mai dyna'r peth d'wetha ar ei meddwl hi ar hyn o bryd,' cysurodd Rhodri ef. 'Ma' hi siŵr o fod yn falch fod rhywun wedi sylwi arnyn nhw'n cael eu herwgipio. Wel, hynny a'r ffaith ei bod hi newydd weld pen ôl Jac!'

'Nath hi ddim gweld fy wyneb i!' protestiodd Jac yn obeithiol. 'Ta beth, shwt ma *hi* ynghlwm yn hyn i gyd?'

'Mae'n rhaid bod Ceredig Cadwaladr wedi colli'i ben yn llwyr!' mentrodd Glyn.

'Ti'n iawn fan'na,' cytunodd Rhodri. 'Watsha dy hunan Deian! Sdim dal beth wneith e!' Ac yn wir, yr eiliad nesa wrth i'r goleuadau traffig newid i wyrdd, dyma'r bws mini'n swerfio draw o flaen y bechgyn gan daro cornel blaen y car yn yfflon. Rhwygwyd y bympyr a chwalwyd goleuadau ar un ochr, gan adael dim ond un bwlb ar ôl i oleuo'r ffordd.

'Wel y myn brain i!' gwaeddodd Deian cyn dilyn y bws i'r chwith o dan bont y rheilffordd a thuag at ganol y ddinas unwaith eto.

Synhwyrodd y bechgyn fod Deian yn dechrau colli'i dymer, ac roedd y ffordd yr oedd yn cyflymu wrth fynd o gêr i gêr yn profi hynny.

'Cofia mai ardal 30 milltir yr awr yw hon Deian!' atgoffodd Jac ef yn ysgafn, wrth weld pin cyflymdra'r car yn cyrraedd dros 50 eto. Ar hynny, daeth fflach ddisglair o ochr y ffordd.

'Ti wedi'i neud hi nawr boi!' chwarddodd Jac yn uchel. 'Ma'r camerâu wedi dy ddal di! Druan â Miss Hwyl! Geith hi sioc pan welith hi'r ddirwy'n cyrraedd yn y post!'

'A thri phwynt ar ei thrwydded yrru!' ychwanegodd Glyn â gwên.

'Shwt y'ch chi'n gallu craco jôcs ar amser fel hyn bois?' holodd Rhodri'n grac. 'Ma' Miss Hwyl a Betsan mewn trwbwl, a 'sda fi ddim syniad shwt y'n *ni'n* mynd i'w hachub nhw.'

'Hei, edrychwch drwy ffenest ôl y bws, bois,' meddai Glyn yn sydyn. 'Deian, cer yn agosach . . . ai . . . Garmon yw hwnna?'

'Ie! Ti'n iawn fyd!' cytunodd Jac wrth iddo bwyso

'mlaen rhwng y ddwy sedd flaen i gael gwell golwg. Gallai weld Garmon yn pwyso'i wyneb yn erbyn y ffenest ôl ac yn edrych yn syn arnyn nhw.

'Wel, wel! Bestan . . . Miss Hwyl . . . Garmon. Odi Ceredig wedi gadel unrhyw un ar ôl yn y Gwersyll gwedwch?' holodd Glyn yn goeglyd. 'Neu ydi e wedi'u herwgipio nhw i gyd?!'

Erbyn hyn, roedd y ddau gerbyd yn agos iawn at ei gilydd wrth agosáu at ganol y ddinas. Rhuthrodd y bws mini yn ei flaen gyda Ceredig yn ceisio'i orau i golli'r bechgyn y tu ôl iddo wrth swerfio yma a thraw ac esgus troi i'r dde ac i'r chwith. Er hynny, roedd Deian yn dynn wrth ei sodlau ac yn dechrau mwynhau'i hun yn fawr erbyn hyn. Roedd hyn yn gymaint gwell na gyrru hen dractor araf ei dad-cu! Wrth agosáu at Stryd y Santes Fair, clywodd y bechgyn sŵn yn eu dilyn o bell. Sŵn oedd i'w groesawu'n fawr. Sŵn seiren yr heddlu.

'Bois, ma help yn dod!' cyhoeddodd Jac wrth edrych trwy ffenest ôl y car. Wrth rasio i fyny'r stryd tuag at y castell, awgrymodd Rhodri y dylai Deian roi'r gore iddi a gadael i'r heddlu barhau â'r helfa.

'Paid â bod yn hurt achan!' atebodd hwnnw. 'Os wna i dynnu mewn nawr, bydd yr heddlu'n siŵr o aros gyda ni a gadael i Ceredig ddianc. Os wnewn ni barhau i ddilyn y bws, wneith yr heddlu ddeall wedyn beth sy'n mynd mla'n.'

Ac felly y bu. Er i'r goleuadau ym mhen draw Stryd

y Santes Fair droi'n goch, parhau i fynd yn eu blaenau wnaeth y tri cherbyd er mawr sioc i fodurwyr eraill y nos. Gyda'r castell ar yr ochr dde iddyn nhw, rhuthrodd y cerbydau yn eu blaenau ochr yn ochr – y bechgyn yn y canol, y bws mini ar yr ochr chwith iddyn nhw a char yr heddlu ar yr ochr dde. Yr eiliad nesaf, swerfiodd Ceredig y bws mini i mewn i gar Miss Hwyl a'i daro'n erbyn car yr heddlu. Sgrialodd teiars yr heddlu wrth i'r car golli rheolaeth a gyrru'n syth i mewn i wal gerrig yn ymyl y palmant. Llwyddodd Deian i ddal ei dir a gwasgodd y brêc yn sydyn er mwyn gadael i'r bws fynd o'i flaen unwaith eto.

'Wel, doedd yr heddlu'n *ddim* help o gwbl!' cwynodd Glyn yn uchel. 'Dere mla'n Deian boi, bydd raid i ti 'neud hyn ar ben dy hunan!'

Dilynodd y bechgyn y bws dros bont yr afon Taf. Yna'n sydyn reit, gwyrodd Ceredig i'r dde, ar draws yr heol a thrwy fwlch cul i lwybr beicio. Gwasgodd Deian y brêc mewn pryd gan lwyddo i lywio'i gar yntau hefyd trwy'r bwlch cul, ond gan daro'r drych oddi ar ochr y car yr un pryd. Penderfynodd Glyn bryfocio'i ffrind. 'Chi'n gwbod fel mae Miss Hwyl yn sôn cymaint y ma hi'n caru'i char?' meddai gan wincio'n ôl ar Rhodri a Jac.

'Cau hi Glyn!' bytheiriodd Deian gan grensian ei ddannedd. Er gwaethaf ei gyflwr, parhaodd y car bach yn ei flaen ar hyd y llwybr anwastad ar hyd yr afon tua Gerddi Soffia. Erbyn hyn roedd Deian wedi dechrau cael llond bol a phenderfynodd roi stop ar y cwrso.

'Bois, dwi wedi ca'l digon!' cyhoeddodd yn uchel.

'Dwyt ti ddim yn mynd i adael iddo fe ddianc?' holodd Glyn yn syn.

'I'r gwrthwyneb,' atebodd Deian yn gadarn. 'Daliwch yn sownd!'

Gyda hynny, gwasgodd y sbardun i'r llawr gan wthio'r car yn bwerus i mewn i gefn y bws mini. Achosodd yr hergwd i hwnnw golli'i afael ar y trac cul gan lithro oddi arno ac i lawr i'r cae cyfagos. Drwy lwc, llwyddodd Deian i reoli'i gerbyd yntau drwy wasgu'r brêc a chadw'r car yn daclus ar y trac diarffordd.

Yn y tywyllwch, craffodd y bechgyn drwy'r coed trwchus i weld beth oedd cynllun nesaf Ceredig.

'Glou bois! Ma' Ceredig wedi gadel y bws ac yn 'i heglu hi ar draws y cae!' gwaeddodd Glyn wrth dynnu'i wregys oddi amdano. Diffoddodd Deian injan y car gan fynd â'r allwedd gydag ef yn ei boced. Rhedodd y bechgyn yn syth at y bws mini gan agor drws yr ochr. Yno'n gorwedd yn gam ar y llawr roedd tri wyneb cyfarwydd. Roedden nhw wedi eu taflu o un ochr y cerbyd i'r llall yn ystod y daith wyllt ar hyd y llwybr beicio.

'Deian, Rhodri, arhoswch chi fan hyn! Jac, dere 'da fi!' gorchmynnodd Glyn.

Rhedodd y ddau ar draws y cae i'r cyfeiriad lle diflannodd Ceredig rai eiliadau ynghynt.

'Beth wnewn ni os ddaliwn ni lan gydag e?' holodd Jac yn fyr ei anadl.

'Dwi ddim yn siŵr,' atebodd Glyn. 'Wnewn ni feddwl am hynny pan ddaw'r amser.'

17

Cŵn tawel sy'n cnoi

'Chi'n iawn Miss?' holodd Rhodri i'w athrawes wrth ddatod cwlwm y rhwymyn oedd yn dynn am ei cheg. Gollyngodd hithau anadl hir o ryddhad wrth gael gwared ar y defnydd gwaedlyd a drewllyd o dan ei thrwyn.

'Ydw, diolch i ti Rhodri. Ond, dwi'n credu fod pob modfedd o 'nghorff i'n gleisiau i gyd.' Taflodd gip i gyfeiriad Deian a oedd wrthi'n datod rhwymau Betsan a Garmon.

'Shwt stâd sydd ar 'y nghar i Deian?' holodd â hanner gwên yn chwarae ar ei gwefusau.

'Dwi wir yn sori, Miss! Ym, syniad Glyn oedd e. Fydden i byth wedi 'neud beth 'nes i oni bai am Glyn. Chi'n gweld, fel hyn oedd hi . . .'

'Deian bach! Dim ond tynnu dy goes di ydw i! Ry'n ni'n lwcus iawn dy fod ti wedi gallu'n dilyn ni fel wnes di. Ro'dd Ceredig yn gyrru fel ffŵl! Sut lwyddest di i ddal lan dwi ddim yn gwybod!'

'Ro'dd 'ych car chi'n grêt Miss! Dim ond i fi roi 'nhroed lawr – a wwshh, roedd e'n mynd fel y gwynt!'

Erbyn hyn roedd y ddau garcharor arall yn eistedd

ar y glaswellt yn ymyl y bws mini. Roedd golwg flinedig iawn ar Betsan a Garmon.

''Ych chi'ch dau'n iawn?' holodd Rhodri'n bryderus.

'Dwi'n ocê,' atebodd Betsan a'i llais yn gryg. 'Dwi heb gysgu ers deuddydd yn gofidio f'enaid am be oedd Ceredig yn mynd i'w 'neud efo ni.'

'Dy'n ni heb fwyta llawer chwaith, nac yfed braidd dim. Ro'dd y seler 'na'n oer ofnadwy hefyd yn y nos. Dwi'n teimlo'n swp sâl a dweud y gwir. Diolch byth eich bod chi wedi llwyddo i'n hachub ni!' ychwanegodd Garmon.

'Wel peidwch â gofidio. Dwi'n siŵr y bydd yr heddlu yma cyn hir. Yn enwedig gan 'u bod nhw 'di colli un o'u ceir mewn damwain jyst rownd y gornel.' A chyda hynny, gwelwyd golau glas llachar yn rhuthro i'w cyfeiriad o ganol y ddinas, er mawr ryddhâd i bawb. Roedd hi'n amlwg fod angen gofal meddygol ar Betsan a Garmon.

'Gobeithio y bydd Glyn a Jac yn iawn,' meddai Miss Hwyl wrth sywleddoli fod y ddau wedi rhedeg ar ôl Ceredig. 'Mae e'n ddyn peryglus iawn. Gobeithio na fyddan nhw'n 'neud dim byd gwirion i'w gynhyrfu e.'

Yn sydyn, llifodd goleuadau ceir yr heddlu i'r cae. Roedd sŵn y seirenau'n fyddarol wrth iddyn nhw amgylchynu'r bws mini. Rhedodd Rhodri draw at y car agosaf rhag iddyn nhw feddwl mai arnyn nhw roedd y bai am holl ffwlbri'r noson honno.

'Diolch byth!' gwaeddodd Rhodri wrth y plismon cyntaf allan o'r car. 'Mae Betsan Roberts a Garmon – y ddau ry'ch chi wedi bod yn chwilio amdanyn nhw – gyda ni fan hyn. Ma'r dyn 'nath 'u herwgipio nhw wedi diflannu i'r cyfeiriad yna, a dau o'n ffrindiau ni'n ei ddilyn.' Pwyntiodd Rhodri ei fys i gyfeiriad y coed ar lan yr afon.

'A phwy yw'r dyn hwnnw?' holodd y plismon gan amneidio ar un o'i gydweithwyr i ddod ato. Rhedodd y plismyn eraill i gynorthwyo Deian a'r gweddill.

'Ceredig. Ceredig Cadwaladr. Mae e'n gweithio'n y Gwersyll. Gwersyll yr Urdd.'

'A pwy yw'r ffrindiau sy'n ei ddilyn?' holodd y plismon eto.

'Glyn a Jac,' atebodd Rhodri.

Trodd y plismon i sgwrsio â'r heddwas a safai yn ei ymyl. 'Gwaith i'r cŵn, dwi'n meddwl.' Trodd ei sylw yn ôl at Rhodri. 'Pa gerbyd oedd Ceredig yn ei yrru?'

'Y bws mini,' atebodd Rhodri.

Trodd y plismon at yr heddwas unwaith yn rhagor. 'Reit, mi ddylai'r cŵn fedru codi arogl Ceredig oddi ar sedd y gyrrwr. Gwna hynny, a cher â nhw tua'r coed. Dyna lle gwelwyd y dihiryn ddiwethaf.'

Ufuddhaodd yr heddwas gan anelu'n syth at y fan wen lle'r oedd y cŵn.

'Ond beth am Glyn a Jac?' holodd Rhodri'n ofnus. 'Beth os wneith y cŵn ymosod arnyn nhw?'

'Sdim angen gofidio,' sicrhaodd y plismon ef. 'Mae'r cŵn wedi'u hyfforddi i beidio ag ymosod ar blant.' Cododd y plismon ei ben a syllu i'r coed. Daeth golwg bryderus iawn i'w wyneb

*   *   *

'Aros amdana i Glyn! Ti'n mynd yn rhy glou achan!' cwynodd Jac wrth sefyll yn stond gan ddal ei ochrau ac anadlu'n gyflym. Doedd e ddim mor heini â'i ffrind.

'Wnewn ni 'i golli e os na wnei di redeg yn gynt Jac!' pwysleisiodd Glyn wrth geisio canolbwyntio ar y ffigwr tywyll oedd yn prysur ddiflannu o'u blaenau. 'Dere mla'n, ry'n ni bron â'i ddala fe!'

'O, na!' ochneidiodd Jac.

'Dwy funud arall 'te. Dim eiliad yn fwy!' meddai Glyn yn bendant.

'O . . . olreit!'

Dechreuodd y ddau redeg unwaith eto ar ôl cysgod Ceredig a oedd yn dechrau arafu erbyn hyn. Roedd Glyn yn dal sawl cam ar y blaen i Jac, ond gyda Ceredig o fewn ei afael, doedd e ddim yn mynd i ddal nôl mwyach. Yna'n sydyn, stopiodd y dihiryn gan droi i wynebu Glyn. Lledodd gwên ar draws ei wyneb. Nid gwên gyfeillgar. Ond gwên wallgof, gythreulig. Dechreuodd chwerthin yn aflafar.

'Pam dw i'n rhedeg gwed? Rhedeg oddi wrthot *ti*?' Taflodd ei hun ymlaen tuag at Glyn gan gydio'n ei goler a'i daflu i'r llawr. Glaniodd Glyn yng nghanol llwyni trwchus. Gallai deimlo'i glun yn brifo. Yna clywodd lais Jac yn torri fel cyllell:

'Gad lonydd iddo fe, y bwli!'

Ond chwerthin mwy wnaeth Ceredig. 'A beth wyt *ti*'n mynd i'w neud am y peth?'

'Mi ddangosa i i ti!' chwyrnodd Jac gan redeg yn syth tuag at Ceredig a'i ysgwydd wedi'i gostwng yn union fel petai'n barod i dacl ar gae rygbi. Gwelodd Ceredig ef yn dod a chydag un symudiad cyflym, roedd Jac hefyd yn mesur ei hyd ar y llawr yn ymyl Glyn. Roedd Ceredig wedi'i daflu dros ei ysgwydd a'i hyrddio'n ddidrugaredd i ganol y llwyni gerllaw.

''Ych chi fechgyn yn dwp neu rywbeth?' holodd Ceredig yn wawdlyd. 'Petawn i'n dewis, allen i fwyta bechgyn ifanc fel chi i frecwast! Ond wrth gwrs, 'dych chi ddim yn sylweddoli hynny. A gweud y gwir, do's neb yn sylweddoli hynny! Mae pawb yn meddwl: '*O 'na ddyn neis yw'r Ceredig 'na,*' a '*mae e mor gwrtais a chyfeillgar.*' Ond allen nhw ddim bod yn fwy anghywir! Hyd yn oed eich hathrawes fach bert chi, Miss Hwyl. Ro'dd hithe'n meddwl 'mod i'n neis! Meddwl bod menyn yn toddi yn 'y ngheg i! Ond chi'n gw'bod beth? Cŵn tawel sy'n cnoi – dyna maen nhw'n 'weud.'

Yn ystod taranu Ceredig, gallai'r bechgyn glywed rywbeth yn rhuthro drwy'r llwyni y tu ôl iddyn nhw. Arswyd! Dau gi yr heddlu. Cŵn enfawr. A'r rheini'n rhuthro'n syth am Ceredig, y naill yn neidio ar ei frest a'i daro i'r llawr a'r llall yn glynu wrth ei fraich chwith gan wasgu'i ddannedd yn gadarn i mewn i'w gnawd a'i ddal yn llonydd ar y ddaear.

'AAAAaaaaaa!' sgrechiodd, cyn dechrau crio gan ofn. 'Glyn! Jac! Gwnewch rwbeth neu gwedwch rwbeth glou!'

18

Ffarwelio

'Glyn! Glyn! Agor y drws 'ma ar unwaith! Mae bron yn chwarter wedi chwech!' arthiodd Mr Llwyd gan daro'i ddyrnau'n galed ar ddrws stafell wely'r bechgyn. Llusgodd Glyn ei hun allan o'r gwely a draw i agor y drws.

'O'r diwedd!' meddai'r athro gan edrych ar ei oriawr. 'Ro'n i'n gw'bod na fyddet ti'n cadw at dy air! Roeddet ti i fod lawr yn y cyntedd erbyn chwech yn glanhau! Aros di nes glywith Mr Ifan am hyn! A dy fam a dy dad. Fyddan nhw ddim yn hapus o gwbl!'

'Ddim yn hapus am beth yn union, Mr Llwyd?' holodd plismon, a oedd newydd ymuno â nhw.

'Wel, ddim yn hapus am ymddygiad Glyn fan hyn! Dwi'n difaru dod ag e i Gaerdydd o gwbl! Camymddwyn . . . ddim yn cadw at 'i air . . . haerllug . . .'

'Werth y byd,' ymyrrodd y plismon nes i Mr Llwyd druan bron â thagu ar ei eiriau. 'Werth y byd?' ailadroddodd. 'Niwsans llwyr gwlei!'

'Oni bai am Glyn fan hyn, a'i ffrindiau wrth gwrs, byddai Betsan a Garmon, a Miss Hwyl o ran hynny, yn dal mewn perygl mawr. Ond, diolch i'r bechgyn, ma' pawb nawr yn ddiogel.'

Erbyn hyn roedd Jac, Deian a Rhodri wedi codi hefyd ac yn gwenu o glust i glust ar ei gilydd, er yn ddigon blinedig o hyd.

'Betsan . . . Garmon . . . Miss Hwyl? Am beth ry'ch chi'n sôn ddyn?' holodd Mr Llwyd yn flin. Roedd e'n amlwg yn casáu bod yn y niwl.

'Dewch 'da fi Mr Llwyd, wna i esbonio popeth i chi dros baned o de. Glyn, sdim angen i ti lanhau'r Gwersyll bore 'ma, na helpu i baratoi'r brecwast. Cer nôl i'r gwely am awr fach!'

'Allen i gysgu drwy'r dydd fel dwi'n teimlo nawr!' meddai Jac gan ddylyfu gên. 'Bydd awr yn well na dim sbo!'

'Gei di gyfle i gysgu ar y bws, cofia. Mae'n daith eitha pell nôl adre. Nawr ein bod ni 'di ennill ein lle nôl yn y sedd gefn, gei di gysgu yn dy hyd ar draws y sedd gyfan!' cynigodd Glyn wrth daflu winc at Deian a Rhodri.

'Ga i wir?' gwaeddodd Jac yn hapus.

'Wrth gwrs na chei di!' atebodd Glyn yn sych. 'Jôcan o'n i. Mi fydd y pedwar ohonon ni'n eistedd yn y sedd gefn, a wel, un arall, gan fod pum sedd.'

'Pwy arall sy'n mynd i eistedd gyda ni Glyn?' holodd Deian gan grafu'i ben. 'Carwyn? Llion?' cynigodd.

Daeth syniad i ben Glyn yn sydyn. 'A! Dwi'n gw'bod!' meddai'n gynhyrfus.

'Pwy?' holodd y tri gyda'i gilydd.

'Gewch chi weld!' atebodd Glyn hwy gan daro'i fys yn ysgafn ar ochr ei drwyn. 'Ond bydd ishe torri chydig ar y rheole . . .'

* * *

Cafodd y bechgyn groeso mawr wrth gerdded i mewn i'r ffreutur am eu brecwast. Clywyd bloedd enfawr a chafodd y pedwar fynd i flaen y ciw. Crwydrodd llygaid Glyn o amgylch y stafell yn chwilio am Mr Llwyd, ond ni allai ei weld yn unman. Manteisiodd ar y cyfle i ddewis ei fwyd ei hunan am unwaith gan ddewis yr un peth â Jac, sef creision ŷd a brecwast llawn o dost, selsig, bacwn ac wyau gyda glasied tal o sudd oren. Hyfryd! Aethant i eistedd ym mhen pella'r stafell gan rannu jôcs a thynnu coes ei gilydd. Yna, sylwodd Glyn ar Mr Llwyd yn mynd i eistedd gyda'i frecwast, gan ei alw draw ato.

'Sori bois,' meddai Glyn yn drist, 'ond mae Mr Llwyd am i fi fynd draw i eistedd ar ei bwys e eto! Welai chi nes 'mlan.' Cododd Glyn o'i sedd a llusgo'i hun draw gyda'i hambwrdd at fwrdd Mr Llwyd.

'Glyn, does dim angen i ti eistedd. Dy alw di draw o'n i ddweud da iawn am neithiwr. Wnaeth yr heddlu ddweud wrtha i beth ddigwyddodd, ac er, wel, dwi'n anghytuno'n llwyr â'th dric Phantom di y noson o'r blaen, wel, daeth rhyw ddaioni allan o hynny yn y diwedd wrth i ti ddod o hyd i'r seler yna.'

'Diolch, Syr!' meddai Glyn gan geisio beidio â gwenu na chwerthin. Synhwyrai fod hyn yn anodd iawn i'w athro – ei ganmol ef fel hyn!

'Nawr, cer nôl at dy ffrindiau a mwynha fwyta'r sothach 'na sydd 'da ti ar dy blât!'

Gwenodd Glyn, cyn gofyn: 'Mas o ddiddordeb, Syr, pa fwyd fyddech chi wedi'i ddewis ar 'y nghyfer i bore ma?'

Edrychodd Mr Llwyd arno gyda difrifwch llwyr ar ei wyneb. 'Caws ar dost,' meddai. Yna lledodd gwên ar draws ei wyneb yntau hefyd. 'Mynydd o gaws ar dost!' Chwarddodd Glyn yn uchel. Roedd gan ei athro synnwyr digrifwch wedi'r cyfan!

Ar ôl gorffen eu brecwast aeth y bechgyn, fel pawb arall, nôl i'w stafelloedd er mwyn pacio'u dillad a thacluso'r stafell gan godi unrhyw sbwriel oddi ar y lloriau a gosod eu gobennydd a'u duvet yn drefnus ar y gwelyau. Daeth Glyn o hyd i fasg y Phantom wrth iddo dacluso'i wely ef, a rhoddodd y masg yn ei fag gan wenu wrth feddwl faint o ofn y gallai godi ar ei chwaer fach gydag ef. Cyn hir roedd y bechgyn i gyd yn barod â'u bagiau wedi'u gosod mewn pentwr yn ymyl y drws. Gyda hynny, clywyd cnoc ysgafn ar y drws a llais awdurdodol yn gofyn os y câi ddod i mewn. Agorodd Rhodri'r drws i weld dyn tal, cefnsyth, yn gwisgo iwnifform yr heddlu – un llawer mwy crand na'r rhai cyffredin – a dyn byrrach mewn tei liwgar a siaced drwsiadus.

'Dewch i mewn', meddai Rhodri gan agor y drws led y pen.

'Diolch!' atebodd y ddau gyda'i gilydd.

'Wnewn ni ddim eich cadw chi'n hir fechgyn. Dwi'n deall fod gennych chi fws i'w ddal!' meddai'r plismon dan wenu. 'Prif Arolygydd Heddlu Dinas Caerydd ydw i a Mr Aled Siôn, Cyfarwyddwr yr Eisteddfod, sydd hefyd yn gyfrifol am Gwmni Theatr Ieuenctid yr Urdd, sydd gyda fi fan hyn.'

'Bore da!' meddai.

'Ry'n ni wedi dod i ddiolch yn fawr i chi am yr hyn wnaethoch chi'ch pedwar neithiwr. Er na ddylwn i ganmol y weithred o ddwyn car a gyrru dan oedran drwy ganol dinas Caerdydd, eto i gyd, rwy'n gallu deall pam y gwnaethoch chi hynny. Ry'ch chi'n lwcus iawn, iawn, na chawsoch chi'ch brifo mewn damwain neu gan y dihiryn Cadwaladr 'na! Mae e bellach dan glo a bydd yn ymddangos o flaen y llys y bore 'ma. Dwi ddim yn credu y bydd e'n anadlu awyr iach am sawl blwyddyn fach!'

'Beth am Betsan a Garmon? Ydyn nhw'n iawn?' holodd Glyn yn eiddgar.

'Maen nhw'n teimlo'n llawer gwell erbyn hyn diolch i chi!' meddai Aled Siôn. 'Doedden nhw heb gael eu brifo'n ddrwg. Diffyg cwsg a maeth oedd y broblem fwyaf. Bellach maen nhw wedi cael noson dda o gwsg a bwyd iachus ac ma' nhw lawer iawn yn well. Oherwydd hynny, bydd y sioe'n medru mynd yn ei blaen ddiwedd y mis!'

Edrychodd y bechgyn yn gynhyrfus iawn ar ei gilydd. 'Grêt!' meddai Rhodri. 'Bydd fy rhieni'n saff o ddod â fi lawr i'w wylio.'

'Peth od i ti weud hynny,' parhaodd Aled. 'Chi'n gweld, mae gen i wahoddiadau fan hyn i'r pedwar ohonoch chi ddod gyda'ch teuluoedd i lawr i Ganolfan y Mileniwm ar noson agoriadaol y sioe, yn rhad ac am ddim!'

'Waw!' meddai Glyn, 'Bydd Mam wrth ei bodd! Odw i'n gallu dod â 'mrawd hŷn a fy chwaer fach hefyd?'

'Ydych wrth gwrs, unrhyw frodyr a chwiorydd sydd gennych, neu fam-gu a thad-cu – unrhyw un! Ac fe gewch chi seddi gorau'r Theatr!'

Roedd y bechgyn ar ben eu digon. Diolchodd Rhodri ar ran pawb a gadawodd y ddau ymwelydd y stafell. 'Wel, wel!' meddai Jac. 'Dyna beth o'dd syrpreis.'

Ac roedd mwy i ddod. Wrth i'r bechgyn lusgo'u bagiau tua'r dderbynfa clywyd bloedd enfawr. Nid bloedd gan blant yr ysgol, ond bloedd gan y Cwmni Theatr! Yno, yn llenwi'r cyntedd roedd degau ohonyn nhw'n clapio ac yn bloeddio'u diolch. Goleuodd wyneb Glyn pan sylwodd ar Betsan yn nghanol y cynnwrf, a bu bron iddo lewygu pan gerddodd hi draw ato a phlannu cusan enfawr ar ei foch. Cyffyrddodd Glyn â'i foch gyda'i law gan dyngu llw i beidio â golchi'i foch byth eto! Sylwodd y bechgyn fod gweddill y plant eisoes yn eistedd ar y bws y tu allan.

'Dewch glou bois, neu fyddwn ni wedi colli'r sedd gefn!' cynhyrfodd Deian gan lusgo'i fagiau'n frysiog tua'r drws.

'Paid â becso am y sedd gefn!' cysurodd Glyn ef, dwi wedi trefnu hynny'n barod. Pan ddringodd y pedwar i'r bws sylweddolodd y bechgyn pwy roedd Glyn wedi dewis i eistedd gyda nhw yn y sedd gefn – Miss Hwyl.

'Roedd rhaid i ni gael Miss Hwyl adre rhywffordd!' meddai Glyn gan wenu. 'Yn enwedig ar ôl i ti Deian racso'i char hi!'

Hefyd yn y gyfres

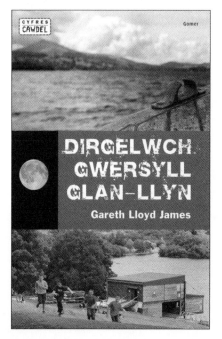

'*Beth ar y ddaear ma' hwnna'n neud mas fan hyn yr adeg yma o'r nos?*'

Ond nid dyna'r unig gwestiwn sy'n codi yn ystod ymweliad wythnos â Gwersyll Glan-llyn. Yn fuan ar ôl cyrraedd, daw'r pedwar ffrind, Glyn, Jac, Deian a Rhodri i sylweddoli nad yw pethau'n union fel yr oedden nhw wedi'i ddisgwyl. Cymeriadau amheus, offer yn diflannu, a thwneli cudd, heb sôn am y criw merched sy'n gwneud eu bywydau'n boen!

Fydd bywyd fyth yr un fath eto ar ôl yr ymweliad yma â glan Llyn Tegid!

ISBN 978 1 84851 033 3 £4.99

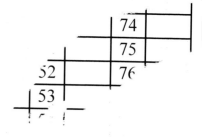